D1105155

Gérard CHAUVY

LYON

Photographies
Gérald Gambier

La Taillanderie

Collection dirigée par: **Gérald Gambier**
Secrétariat de rédaction: **Martine Lonvis**
Maquette, mise en page: **Gérald Gambier**
Corrections: **Gérard Chauvy, Yolande Beyer**
Traduction Anglaise: **Janet Béhin**
Traduction Allemande: **Claus Haverkamp**

Dans la même collection

L'Ain, ouvrage collectif, épuisé
Le Bugey, Suzanne Tenand
Lyon, les passerelles du temps, Pierre Mérindol, Gérald Gambier
La Saône-et-Loire, ouvrage collectif
La Vallée de l'Ain, C.A.V.O.
Chalon-sur-Saône, Marie-Thérèse Girardi, Gérald Gambier
Couleurs de l'Ain, Rémi Riche, Gérald Gambier

Du même auteur

"Histoire des Lyonnais", Nathan 1981
"Lyon 40-44", Plon 1985
"Lyon des Années bleues, Libération-Epuration", Plon 1987

La photographie de couverture a été réalisée au «CAFE DU RHONE» chez Monsieur Julien Sebban, 23 quai Augagneur. Elle représente l'ancien pont de la Guillotière et constitue l'un des six tableaux de faïence qui décore ce sympathique bistrot lyonnais.

Copyright Editions de la Taillanderie, 1990
8 rue du 4 septembre
01009 Bourg-en-Bresse

ISBN 2-87629-039-1
ISSN 0991-482X

SOMMAIRE INHALT INDEX

REMERCIEMENTS

Photographies

Quelques photographies nous ont été sympathiquement prêtées pour complèter harmonieusement cet ouvrage. Que leurs auteurs en soient sincèrement remerciés. Ce sont:
-le Service Communication de la Ville de Lyon avec 2 photos de Pascal Muradian en page 159
-la SEPEL EUREXPO, photos de Jacques Dugas page 157
-la Galerie Guichard, page 113
-les Laboratoires Mérieux, photos page 155
-La Chambre de Commerce et d'Industrie de Lyon (Musée des Tissus)
-L'Institut Lumière pour l'affiche page 87.

Accueil

Nos remerciements à tous ceux qui m'ont facilité la tâche lors des prise de vues en m'ouvrant gentillement leur porte ou en se faisant un devoir de magnifier leur belle ville: la Mairie de Lyon, les musées qui figurent dans l'ouvrage, les jouteurs de la Mulatière, les deux théâtres de Guignol, le marionnettiste Pavalli, le canut au travail, les boulistes de la Croix-Rousse, les Soeurs de la Chapelle Expiatoire, Mimi rue St Jean, la Mère Brazier, le maraîcher du marché St Antoine, les écaillers et primeurs de la Part-Dieu, la cité de la Création, Daniel Morelon et un coureur au vélodrome, et Madame Perrier du musée de la Banque et de l'imprimerie pour m'avoir permis et facilité la photographie d'un document exceptionnel: «le placard contre la messe de 1534», ainsi que tous ceux que le hasard a bien voulu mettre dans ma boîte noire parce qu'ils étaient beaux ou tout simplement Lyonnais.

LE LYONNAIS   DER LYONER   THE LYONNAIS

Etre Lyonnais? Est-ce appartenir à une famille qui se distinguerait essentiellement par la réputation assez complaisamment répandue de froideur et d'affairisme entrelacés, où se glisserait avec retenue, et parcimonieusement, le culte de l'amitié solide mais farouche? Le tout enrobé d'une spiritualité aux aspects énigmatiques. Voilà qui justifierait, dans le sens restrictif, la formule naguère employée par «Catherin Bugnard» - alias Justin Godard - dans « La plaisante sagesse lyonnaise»: «Tout le monde peuvent pas être de Lyon...»

Gardons-nous cependant de céder à la tentation des images surfaites qui figeraient par trop notre Lyonnais, pour lequel nous préférerons les descriptions successives empruntées au fil du temps.

Au début étaient les Ségusiaves. Peuple gaulois qui vivait sur les actuels territoires foréziens et lyonnais, il forma, même indistinctement, une première communauté, pour partie sur le site qui est nôtre aujourd'hui.

Paisible et dominée par l'activité de puissants voisins, les Eduens et les Allobroges, elle allait connaître, du fait d'une incursion, une évolution décisive de son destin.

Lorsque Jules César, déjà installé avec ses légions sur une colline dont on s'accorde à dire qu'il s'agissait de celle de Fourvière, décida de réduire les Helvètes, il suscita un mouvement irréversible. Après la «Guerre

Lyoner sein? Heißt das, zu einer Gattung zu gehören, die vor allem dafür verschrieen ist, nur aus Geschäftemachern voller unfreundlicher Kälte zu bestehen, vermischt mit einem leichten, kaum wahrnehmbaren Kult für echte, wenn auch scheue Freundschaft? Das Ganze eingepackt in eine, für den Außenstehenden recht rätselhafte Spiritualität. Das würde, im einschränkenden Sinne des Wortes, den früher, von einem der großen Lyoner, Justin Godard, unter dem Pseudonym Catherin Bugnard, verfaßten Satz rechtfertigen: «Et kann ja nich' jeder aus Lyon kommen...». Hüten wir uns jedoch, der Versuchung der abgegriffenen Klischees zu verfallenen, die auf immer das Bild des Lyoners festlegen würden; dem ziehen wir Beschreibungen vor, wie sie uns die Geschichte, im Laufe der Jahrhunderte, bietet.

Am Anfang waren die Segusiaven. Dieser gallische Volksstamm lebte auf dem heute vom Lyonnais und Forrez gebildeten Gebiet und bldete, auch wenn das noch unbewußt war, eine erste Gemeinschaft, zum Teil auch an dem Ort, der heute Lyon heißt.

Diese Gemeinschaft lebte in Frieden, unter der Herrschaft mächtiger Nachbarn, der Äduer und Allobroger, und sollte, infolge eines militärischen Einfalles, eine entscheidende Wende ihres Schicksals erleben.

Als Julius Cäsar mit seinen Legionen auf einem Hügel stand, der, nach der einhelligen Meinung der

What does being a Lyonnais mean? Does it mean belonging to a family which would distinguish itself mainly in having the general reputation of being a mixture of coldness and business like manners, where rarely, and with reserve, the cult of a solid but fierce friendship would creep in ? And all this wrapped up in a kind of enigmatic spirituality. This is what would justify, in its restrictive sense, the formula used long ago by «Catherin Bugnard» - alias Justin Godard - in «La plaisante sagesse lyonnaise»: «Not everyone can come from Lyon... ». But we should be careful not to be tempted by clichés in which our Lyonnais would be too fixed and for whom we prefer the successive descriptions that have come down through the centuries.

In the beginning were the Segusiaves, a Gallic people who lived in the present Forez and Lyons regions, forming, although indistinctly, the first community to live partly on the site that is ours today.

This peace-loving people, dominated by the activity of powerful neighbours, the Eduens and the Allobroges, was to know, due to a raid, a decisive turn in its destiny.

When Julius Caesar, who had already set up his legions on a hill, commonly agreed to be Fourvière, decided to subjugate the Helvetii, he created an irreversible movement. After the Gaulish war, the great Roman strategist's lieutenant, Munatius Plancus,

des Gaules», le lieutenant du grand stratège romain, Munatius Plancus, vint y implanter une colonie qui prit pour nom «LUGDUNUM». A partir de là, et du rayonnement qui en émana, commença à s'ébaucher une manière d'être et de vivre, que l'historien lyonnais Sébastien Charléty, à l'orée du XXème siècle, pourra ainsi définir:

«Des hommes sont devenus des Lyonnais, bien moins pour être nés dans tel village de la civitas, du pagus, du comté ou de la province, que pour être venus des quatre coins de l'horizon participer à la vie collective de ce rendez-vous international. Ils ont pris des habitudes communes nées d'intérêts semblables; ils y ont contracté une manière d'agir, un ton d'esprit particuliers et originaux nés de la forme de vie qui leur fut imposée par leur présence sur ce coin de terre.»

Premiers signes, premières manifestations peut-être, avec ces Ségusiaves, bientôt romanisés, dont le nom, nous enseigne André Steyert, provenait de «Segusou», tiré de l'aspect de leur pays qui les tenait clos et abrités comme dans une forteresse. Retranchés, repliés sur eux-mêmes mais progressivement aptes à profiter de la remarquable position géographique et politique qui déterminera la richesse de Lugdunum, nos ancêtres ne forgeaient-ils pas des traits caractéristiques et immuables? En inscrivant à l'aube de leur histoire - de notre histoire - ce qui illustrait grandeurs et servitudes, préfigurant cette alternance qui ne cessera pratiquement pas de moduler l'existence de cette ville et de ses habitants, capitale parfois reconnue, jamais en titre, quelquefois déchue, toujours renaissante... La fameuse lettre de Sénèque qui décrivait, avec emphase, l'incendie destructeur qui atteignit Lugdunum au Ier siècle, nous en procure un avant-goût: « ...Tant de superbes monuments, dont chacun aurait suffi à faire la gloire d'une ville, il n'a fallu qu'une nuit pour les mettre à bas (...) Dans le silence universel des armes, à l'heure où la sécurité règne

Historiker, der Hügel von Fourvière war, und beschloß, die Helveter zu unterwerfen, gab er den Anstoß für eine unwiderstehliche Bewegung. Nach dem «Gallischen Krieg» siedelte der Leutnant des großen Strategen, Munatius Plancus, hier eine Kolonie an, die den Namen «LUGDUNUM» erhielt. Von da ab, begünstigt von der Ausstrahlung die von hier ausging, begann sich eine Lebensart und Lebensweise herauszubilden, die der Lokalhistoriker Sébastien Charléty, am Beginn des 20. Jahrhunderts, so definieren konnte: «Menschen wurden zu Lyonern, weit weniger weil sie in diesem oder jenen Dorf der Civitas, des Pagus, der Grafschaft oder der Provinz geboren wurden, sondern weil sie aus den vier Himmelsrichtungen kamen, um am kollektiven Leben dieser Stätte internationaler Begegnung teilzunehmen. Sie übernahmen gemeinsame Gewohnheiten, geboren aus gleichen Interessen; sie übernahmen hier eine Art zu handeln und eine eigen-artige und originelle Geisteshaltung, geboren aus der Lebensweise, die ihnen hier, einfach nur weil sie auf diesem Fleckchen Erde zugegen waren, auferlegt wurde.»

Erste, vielleicht noch schwache Anzeichen also bei den Segusiaven, die bald romanisiert wurden, und deren Namen, so lehrt uns André Steyert, sich von «Segusou» ableitet, dem äußeren Aspekt ihres Landstriches, in dem sie abgeschlossen und geschützt, wie in einer Festung lebten. «Bildeten unsere Vorfahren, abgekapselt und zurückgezogen, doch mit der Zeit immer fähiger, aus der einmaligen geografischen und politischen Lage, die bestimmend sein sollte für den Reichtum von Lugdunum, Nutzen zu ziehen, nicht typische und unabänderliche Charakterzüge heraus?

Sie schrieben an den Anfang ihrer Geschichte - unserer Geschichte - schon das, was Größe und Knechtschaft ausmacht, und nahmen somit schon den ewigen Wechsel, der das Schicksal dieser Stadt und ihrer Einwohner für immer prägen sollte, vorweg, manch-

came to found a colony there, adopting the name of «LUGDUNUM». Henceforth, and from the influence that was to result from it, a way of being and living gradually began to take shape which the Lyonnais historian Sébastian Charléty, at the eve of the 20th century, could describe as follows: «Men became Lyonnais less for having been born in such or such a village of the civitas, pagus, county or province than for having come from all corners of the horizon to take part in the collective life of this international meeting-place. They adopted common habits resulting from similar interests; they contracted a particular and original way of thinking and acting that grew from the sort of life imposed upon them by their very presence on this spot of land.»

The first signs, and first evidence perhaps, with these Segusiaves, soon to be Romanized and whose name, André Steyert tells us, came from «Segusou», meaning the aspect of their country, which kept them closed in and sheltered as in a fortress.» Cutoff and withdrawn, but gradually able to benefit from the remarkable geographical and political position that was to determine the richness of Lugdunum, were our ancestors not forging the unalterable character of the Lyonnais at the dawn of their history - our history - by illustrating greatness and constraint, predicting this alternance that has never ceased shaping the town and its inhabitants, sometimes recognized as a capital, never really so in fact, sometimes fallen, but always rising again.... The famous letter written by Senaca emphatically describing the fire that destroyed Lugdunum during the first century gives us a foretaste: «.... So many fine monuments, each of which would have been sufficient in itself to bring renown to a town, and in just one night everything was destroyed (...). Now that arms are universally silent, at a time when peace reigns throughout the world, the city of Lyons, yesterday the pride of the Gauls, has

Lyon est une ville chargée de symboles naturels : au confluent, le mariage du Rhône et de la Saône est un de ceux-là.

Lyon ist geprägt von Natursymbolen: die «Vermählung» der Rhône mit der Saône ist eines davon.

Lyons is a city full of natural symbols: at the confluence, the marriage of the Rhône and the Saône is one of them.

par toute la terre, l'emplacement de Lyon, hier orgueil du pays gaulois, se cherche à la trace (...) Pour cette ville, une seule nuit l'a fait passer de l'extrême opulence au néant (...) A l'égard de Lyon, on ne peut présumer que tous seront piqués d'émulation pour la rétablir plus grande et mieux garantie qu'avant le désastre...»

Du bonheur de la «Pax Romana», même entamé parfois, jaillit aussi un engouement religieux qui ne put se limiter à l'observation des rites exotiques, des cultes orientaux, de Cybèle à Mithra, de la religion officielle de Rome et d'Auguste. Le christianisme s'y développa au point de susciter une répression qui, en l'an 177, marqua Lyon du sceau de la ferveur et de l'empreinte du martyre.

Ce qui venait d'être semé, le Lyonnais allait-il le préserver, le renier ou l'oublier? L'arrivée sur son sol de peuples dits «barbares», des géants burgondes «de sept pieds, à la chevelure parfumée de beurre rance, grands mangeurs d'ail et d'oignon», préludait-il à une longue nuit? Le Haut Moyen Age ne fut pas seulement une période de «glaciation».

«On ne sait presque rien de ce qui pouvait rester de la prospérité industrielle et commerciale que la ville avait connue aux premiers siècles de son existence. Nous n'avons aucun document sur la destinée des grandes corporations romaines (nautes et négociants en vins).» Mais «Sidoine Apollinaire, évêque né à Lyon, parle encore (...) des chants de bateliers sur le port où se faisait le transit entre la batellerie de la Saône et celle du Rhône. On trouve encore dans les inscriptions des noms grecs et syriens; la colonie juive restait probablement assez nombreuse. Cette population cosmopolite devait continuer un certain commerce...»

Une population qui s'affranchira des tutelles qui la contraignaient, une fois passé les siècles mouvants des règnes de princes éphémères et des invasions dévastatrices. Le Saint-Empire

mal als Hauptstadt anerkennt, ohne je diesen Titel zu besitzen, manchmal darniederliegend, doch immer neu entstehend... Der berühmt-berüchtigte Brief von Seneca, der voller Emphase die Feuersbrunst beschreibt, die im 1. Jahrhundert Lugdunum vernichtete, gibt uns davon einen Vorgeschmack: «So viele herrliche Gebäude, von denen jedes einzelne genügt hätte, um der Stolz einer Stadt zu sein, es bedurfte nur einer Nacht, um sie niederzubrennen (...) Da in der ganzen Welt die Waffen schweigen, zu einer Zeit, da auf der ganzen Erde Frieden herrscht, sucht man in Lyon, gestern noch der Stolz Galliens, nach den Spuren der Stadt (...) Für diese Stadt hat eine Nacht genügt, um sie vom extremen Überfluß ins Nichts zu stürzen (...) Was Lyon anbetrifft, so kann man nur vermuten, daß alle vom Wetteifer angestachelt werden, die Stadt noch größer und sicherer, als vor dem Desaster, wieder aufzubauen.»

Inmitten des, wenn auch manchmal angegriffenen, Glückes der «Pax Romana» entspringt auch ein religiöser Eifer, der sich nicht beschränken ließ auf die Einhaltung der exotischen Riten, der orientalischen Kulte von Cybele und Mithra oder der offiziellen Religion von Rom und Augustus. Das Christentum verbreitete sich hier dermaßen stark, daß es im Jahre 177 zu einer Verfolgung kam, die Lyon das Siegel der Inbrunst und den Stempel des Martyriums aufdrückte.

Sollte der Lyoner das Saatgut, das hier ausgestreut wurde, bewahren, leugnen oder vergessen? War die Ankunft auf seinem Gut und Boden von «Barbaren» genannten Völkern, den riesigen Burgundern, «sieben Fuß groß, mit ihren mit ranziger Butter parfümierten Haaren, große Verzehrer von Knoblauch und Zwiebeln», das Vorzeichen einer langen Nacht? Doch war das Hohe Mittelalter nicht nur eine Periode der «Vereisung».

«Wir wissen fast nichts von dem, was von dem industriellen und kommerziellen Reichtum blieb, den die

almost disappeared (....). It took just one night to reduce it from opulence to nothing (...). Insofar as Lyons is concerned, we can only presume that everyone will be inspired to rebuild it greater and safer than before the disaster....»

From the happiness of the «Pax Romana», although it was occasionally disturbed, sprang a religious fervour not just limited to the observance of certain exotic rites or oriental cults, from Cybele to Mithra, or the official religion of Rome and Augustus. Christianity developed here to the point where it had to be repressed and in 177 AD Lyons was stamped with the seal of fervour and the imprint of martyrdom.

But was the Lyonnais going to preserve, deny or forget the seeds so recently sown? Was the arrival on his land of peoples called «Barbarians», giant Burgondes, «seven feet tall with hair smelling of stale butter and great eaters of garlic and onions», to be the beginning of a long period of darkness? The early Middle Ages was not just a period of «glaciation».

«We know almost nothing of what might have remained of the industrial and commercial prosperity the town had known during the first centuries of its existence. We have no documents to show the fate of the great Roman corporations (boatmen and wine merchants).» But Sidonius Apolinaris, bishop born in Lyons, still speaks of «(...) the songs of the boatmen in the port where the transit between the navigation on the Saône and the Rhône took place. Greek and Syrian names were also to be found among the inscriptions and the Jewish colony probably remained quite numerous. This cosmopolitan population must have carried on a certain amount of business ....»

Once the moving centuries with their reigns of ephemeral princes and devastating invasions had passed, the population was able to rid itself of its constraining subjections. The Holy

LE RHONE ET LA SAONE

Au pied du Palais du Commerce, une des classiques représentations du Rhône et de la Saône, due au sculpteur Wermar (1905).

Zu Füßen der Lyoner Börse befindet sich eine der klassischen Darstellungen der Rhône und der Saône, ein Werk des Bildhauers Wermar (1905).

Below the Palais du Commerce, one of the classical representation of the Rhône and the Saône by the sculptor Wermar (1905).

La Saône paisible et sa représentation par les frères Coustou.
Die friedliche Saône und ihre Darstellung von den Gebrüdern Coustou.
The peaceful Saône and its representation by the Coustou brothers.

Le premier «**front du Rhône**» construit lors de l'édification de l'Hotel-Dieu et la statue le Rhône par Coustou.
Die erste «Rhône-Front», errichter zusammen mit dem Bau des Hôtel Dieu, und di Rhône, eine Statue des Bildhauers Coustou.
The first «Rhône embankment» built where the Hôtel-Dieu was going erected and the statue of the river Rhône by Coustou.

romain germanique n'eut guère de prise sur le Lyonnais qui se rebellera surtout contre l'autorité d'une Eglise riche et puissante. «La principale conquête de la bourgeoisie s'est ainsi concrétisée au début du XIVème siècle par l'organisation définitive de l'administration municipale, écrit Guy de Valous: droit d'avoir un sceau, de s'assembler librement dans un lieu choisi, avant d'avoir son siège fixe dans une maison commune, d'élire des administrateurs: procureurs, syndics, conseillers de ville ou consuls. L'ancienne «Université de la Cité de Lyon» ou commune est dès lors officiellement représentée et effectivement gouvernée par ses conseillers dont le nombre a d'abord varié, mais fut immuablement après 1320 de douze. Elus chaque année, théoriquement par l'assemblée générale des habitants, convoqués au son de la cloche de l'église Saint-Nizier, le jour de la Saint-Thomas (21 décembre), en réalité ils ne tardèrent pas à être choisis par le petit nombre de notables, «les meilleurs et les plus sages», de l'assemblée des maîtres de métiers, représentants des métiers de la ville, plus ou moins influencés dans leur choix par un groupe restreint: les «grans», recrutés dans le haut commerce, parmi les plus gros propriétaires, au sein de quelques familles qui s'étaient imposées comme chefs du peuple dans la lutte pour la conquête des libertés municipales au cours de la deuxième moitié du XIIIème siècle...»(1).

Ce peuple qui dans cette lutte avait fait naître un cri, devenu depuis la devise du Lyonnais: «Avant! Avant! Lion le melhor!»

Cette conquête ne se réalisa pas sans l'appui du pouvoir royal qui voyait là une occasion de s'implanter en Lyonnais et, dès 1320, chaque habitant dut prêter serment au roi de France. Qui voulut bien, peu après, accorder à la ville ce qu'elle était en droit d'attendre: «Le 9 février 1420, Charles, Dauphin, régent du Royaume, accordait deux foires, franches de toutes aides et

Stadt während der ersten Jahrhunderte ihrer Existenz gekannt hatte. Kein Dokument gibt uns darüber Auskunft, was aus den großen römischen Korporationen (der Flußschiffer und Weinhändler) geworden ist.» Doch «Sidonius Apollinarius, aus Lyon gebürtiger Bischof von Clermont-Ferrand (432 - 489), berichtet noch von den Gesängen der Binnenschiffer im Hafen, in dem die Waren von der Rhône auf die Saône umgeschlagen wurden. In den erhaltenen Inschriften findet man noch griechische und syrische Namen; und der Anteil der Juden war höchstwahrscheinich noch sehr stark. Diese buntgewürfelte Bevölkerung betrieb sicherlich noch einen recht intensiven Handel.»

Die Bevölkerung befreite sich nach und nach von der Vormundschaft, die sie unterjochte, am Ende der bewegten Jahrhunderte, unter der Herrschaft ephemerer Prinzen und zerstörerischer Invasionen. Das Heilige Römische Reich Deutscher Nationen hatte auf den Lyoner kaum einen Einfluß. Dieser lehnte sich eher gegen die Autorität einer reichen und mächtigen Kirche auf. «Die wesentliche Eroberung des Bürgertums konkretisierte sich, zu Beginn des 14.

Jahrhunderts, durch die endgültige Organisation der Stadtverwaltung», schreibt Guy de Valous: Das Recht auf ein Stadtsiegel, das freie Versammlungsrecht, an frei gewählter Stätte, bis der Rat schließlich seinen festen Sitz in einem Gemeinde-Haus hatte, das Recht, das Verwaltungspersonal zu wählen: Gerichtsherr, Verwalter, Stadträte oder Konsuln. Die ehemalige «Universität der Stadt Lyon» ist seither offiziell vertreten und wird de facto verwaltet von den Stadträten, deren Anzahl zunächst variabel war, doch ab 1320 auf zwölf festgelegt wurde. Sie wurden jedes Jahr gewählt, theoretisch von der Generalversammlung der Bürger, die von der Glocke von Sankt Nicasius (Saint Nizier), am Festtage des Heiligen Thomas, also am 21. Dezember, zusammengerufen wird;

Roman Empire had little hold on the Lyonnais who rebelled in particular against the authority of a rich and powerful Church. «The main conquest of the bourgeoisie thus materialized at the beginning of the 14th century, in the definitive organization of the town administration», wrote Guy de Vallous, «the right to have a seal, to gather freely in a place of its choice before having its permanent meeting place in a town hall, to elect its administrators: procurators, receivers, town councillors or consuls. The ancient «University of the City of Lyons», or free town was, as of then, officially represented and effectively governed by its councillors, whose number varied to begin with, but which was finally fixed at twelve after 1320. They were theoretically elected each year by the inhabitants general assembly which was summoned by the bells of Saint Nizier's Church on Saint Thomas' Day (21st December). In fact, it was not long before they were chosen from among the small number of leading members, «the best and the wisest», of the assembly of trade masters representing the trades of the town and more or less influenced in their choice by a small group, the «grans», recruited from large scale traders, amongst the greatest property owners within a few families who had taken the lead in the struggle for gaining municipal freedom during the second half of the 13th century ...» (1).

This people, in its struggle, uttered a cry which, since then, has become the motto of Lyons: «Avant! Avant! Lion le melhor!» This success would not have been possible without the support of the Crown, seeing there an excellent opportunity of establishing itself in the Lyons region and so, in 1320, every inhabitant had to swear allegiance to the King of France who, shortly afterwards, agreed to grant the town what it could rightfully expect : «On the 9th February 1420, Charles, Dauphin, Regent of the Kingdom, granted two fairs, exempt from all taxes and duties, both ordinary and extraor-

Les joutes: des tournois qui en disent long sur les rapports des Lyonnais avec la tradition fluviale.

Das Fischerstechen: es ist bezeichnend für das traditionsgeladene Verhältnis der Lyoner zu ihren Flüssen.

Jousting: tournaments which say a lot for the connection the Lyonnais have with the river traditon.

impôts, ordinaires et extraordinaires, que tous marchands pouvaient fréquenter et où toutes monnaies, tant du royaume qu'étrangères, pourraient avoir libre cours. La durée de chacune de ces deux foires était de six jours; elle devait commencer, l'une le lundi, lendemain du 3ème dimanche après Pâques, l'autre le 15 novembre. Les foires de Lyon étaient créées. Dès leur création, elles jouissaient de très considérables privilèges, ceux-mêmes, disait le Dauphin dans ses lettres, dont avaient joui les foires de Champagne et de Brie, c'est-à-dire le sauf-conduit des marchands étrangers, la liberté du commerce, l'organisation d'une juridiction spéciale plus simple et plus rapide, l'autorisation du prêt à intérêt...» (2)

Arrêtons-là, temporairement. Notre propos tendrait à découvrir le Lyonnais, depuis ses origines, sous l'aspect d'un être âpre au gain, sans autre âme que l'âme du marchand. Non point. Théâtres et autres monuments de l'Antiquité, de Fourvière à la Croix-Rousse, ont dès le début affirmé la présence de l'esprit qui, bien que souvent tourmenté, relevait de courants philosophiques ou spirituels affirmés. Au sortir du Moyen-Age, la prospérité se confirmant, l'intellect se mit à l'unisson. Au même titre que le banquier lombard ou florentin, Lyon offrit une place à une «école» qui s'inscrira parmi les joyaux de la Renaissance. Cela n'était pas sans rapport avec la venue auprès du Lyonnais de consciences particulièrement disposées à propager des idées nouvelles puisque aussi bien dans cette Europe se répandait la vague humaniste. Quant aux germes de la Réforme, ils se fortifiaient et s'apprêtaient à donner naissance à un immense mouvement. Le Lyonnais, toujours à la «croisée des chemins», était ici au «carrefour» d'un monde en ébullition, avec le renfort d'une découverte capitale: l'imprimerie, et ses artistes locaux, qui jouait désormais à plein dans le domaine de la diffusion des connaissances. Mais

doch de facto wurden sie sehr schnell aus der kleinen Gruppe der Notablen ausgewählt: «Die Besten und Weisesten» aus der Versammlung der Meister, die die Berufstände der Stadt vertreten, mehr oder weniger beeinflußt in ihrer Wahl durch eine kleine Gruppe, die «Großen», die sich zusammensetzten aus den größten Händlern, den Großgrundbesitzern, aus einigen Familien, die sich, während der zweiten Hälfte des 13. Jahrhunderts, beim Volke durchgesetzt hatten als Leitfiguren im Kampf um städtische Freiheiten...» (1).

Aus diesem Volk war während des Kampfes ein Kriegsschrei aufgestiegenen, der später zur Devise des Lyoners werden sollte: «Avant! Avant! Lion le melhor!» (Vorwärts! Vorwärts! Lion die Beste!) Diese Eroberung war nicht möglich ohne die Unterstützung des Königs, der hier eine Möglichkeit sah, in Lyon Fuß zu fassen; und ab 1320 mußte jeder Einwohner dem französischen König den Eid leisten. Und dieser sollte, hundert Jahre später, der Stadt das gewähren, was sie zu Recht erwartete: Am 9. Februar 1420 gewährte Kronprinz Karl, der Herrscher im Reich, zwei Messen, frei von allen, gewöhnlichen wie außergewöhnlichen, Abgaben und Steuern, die allen Händlern offen standen, und auf denen alle Währungen, die des Königreiches so gut wie die ausländischen, frei getauscht werden konnten. Jede dieser beiden Messen sollte sechs Tage dauern, die erste begann am Montag nach dem dritten Sonntag nach Ostern, die andere am 15. November. Die Geburtsstunde der Lyoner Messen hatte geschlagen. Seit ihrer Gründung profitierten sie von gewaltigen Privilegien, den gleichen, so schrieb der Kronprinz in seinen Briefen, wie die der Messen in der Champagne und in der Brie, d.h. das freie Geleit der ausländischen Händler, der freie Handel, die Schaffung einer speziellen, einfacheren und schnelleren Rechtsprechung, die Erlaubnis der Geldanleihe auf Zinsen...» (2).

dinary, that all merchants could attend and where all currencies, whether of the Kingdom or foreign, could be freely used. Each of these two fairs lasted for six days. One was to start on the Monday following the 3rd Sunday after Easter and the other on the 15th November. The fairs of Lyons were created. From the beginning, they benefitted from a large number of privileges, the same, said the Dauphin in his letters, as those of the fairs of Champagne and Brie, i.e. a safe conduct for foreign merchants, free trade, the organization of a special jurisdiction, which was both simpler and quicker, and the authorization to loan on interest ..... « (2)

Let us stop here for a while. Our argument tends to show the Lyonnais as a man bent on gain, with nothing more than the heart of a merchant, and this ever since his origins. This was not so. Theatres and other monuments dating from Antiquity, from Fourvière to the Croix-Rousse, showed evidence, right from the beginning, of a spirit which, although often tormented, resulted from strong philosophical or spiritual trends. At the end of the Middle Ages, prosperity was growing and the intellectual life followed suit. In the same way as the Florentine or Lombard bankers, Lyons offered a place for a «school» that was to become one of the jewels of the Renaissance. This was connected with the arrival in Lyons of minds that were particularly anxious to spread new ideas since, throughout Europe, the wave of Humanism was spreading. As for the seeds of the Reform, they were growing stronger, ready to give birth to an immense movement. The Lyons region, always at the crossroads, was here again at the centre of a world in turmoil, with the support of a fundamental discovery, printing, and its local craftsmen who were now able to play an active part in the spreading of knowledge.

But the whole town seethed with the activity of its «Grande Fabrique»

Guignol, la célèbre marionnette créée par Laurent Mourguet au siècle dernier et le théâtre du parc de la Tête d'Or.

Guignol, die berühmte Marionette, im letzten Jahrhundert geschaffen von Laurent Mourguet, und sein Theater im Park de la Tête d'Or.

Guignol, the famous puppet created during the last century by Laurent Mourguet and the theatre in the Parc de la Tête d'Or.

La marionnette-symbole du Lyonnais a donné naissance à une grande famille. A droite Guignol et Gnafron au Musée de la Marionnette de l'hôtel de Gadagne.

Guignol ist die symbolträchtige Marionette des typischen Lyoners. Ihm gesellte sich nach und nach eine ganze Familie zu. Hier Guignol und Gnafron, im Marionetten-Museum im Hôtel Gadagne.

The puppet symbol of Lyons has given birth to a large family. To the right, Guignol and Gnafron at the Puppet museum housed at the Gadagne Town House.

Laurent Mourguet (1769-1844), le père du Guignol, statufié... et le marionnettiste Pavalli dans son échoppe de la place du Change.
Laurent Mourguet (1769-1844), der Stein gewordene Schöpfer von Guignol... und der Puppenspieler Pavalli in seinem Theater, auf dem Place du Change.
Statue of Laurent Mourguet (1769-1844), the father of Guignol... and Pavalli, the puppetist in his booth Place du Change.

toute la ville résonnait du bruit d'une fourmilière: la «Grande Fabrique», qui lui donnait tout - ou parfois, en période de crise, peu - de son immense ressource. Sous le signe de la soie, au milieu du XVIIème siècle, 30 000 Lyonnais vivaient au rythme de 14 000 métiers: «...de l'industrie, de l'invention, de la souplesse, beaucoup d'attachement à son intérêt, beaucoup d'ordre et d'application aux affaires» disait du maître, de l'ouvrier ou de l'apprenti, l'intendant du roi, Lambert d'Herbigny.

Au siècle suivant, à quelque distance de la Révolution, les ouvriers de la soie auront, en revanche, à deux reprises, la rage au coeur et la misère au ventre pour défendre leur condition. Il ne s'agissait plus de la vieille «Rebeyne» qui, comme celle de 1529, avait donné son trop-plein de colère populaire - et gravé, du même coup, ce mot comme l'expression lyonnaise de la révolte -, mais d'une revendication de classe, typique et annonciatrice de futurs conflits. Dont, au siècle suivant, le «canut» sera le héros.

On approchait cependant d'un grand tournant qui va être négocié d'original et dramatique façon par les Lyonnais...

Dans l'antichambre de la Révolution, le Lyonnais s'agita. Comme d'autres, dirons nous. Encore que l'esprit y fut différent et, en conclusion, il héritera d'une redoutable étiquette, l'équivalent d'une mise à l'index que lui valut son évolution à contre-courant de l'histoire nationale.

Au début, sans heurts, était le franc-maçon, inspirateur d'un fort mouvement que nous ne saurions voir autrement que sous le reflet d'une «opinion éclairée», que se partageait une élite se répandant dans les sociétés savantes et les réunions culturelles. Un éminent spécialiste de la question a souligné combien il était hasardeux «de déceler dans les agissements politiques des francs-maçons lyonnais une action concertée.»

Halten wir einen Moment lang inne. Das Gesagte könnte dazu führen, den Lyoner zu entdecken als jemanden, der, von Anfang an, nur als ein auf Gewinn versessener Mensch dasteht, ohne eine andere Seele als die eines Krämers. Mitnichten. Theater und andere Gebäude der Antike, vom Hügel von Fourvière bis zum Croix-Rousse-Hügel, legen von Anfang an beredt Zeugnis ab von der Anwesenheit des Geistes, der, wenn auch oft gepeinigt, auf starke philosophische und geistliche Strömungen zurückgeführt werden konnte. Am Ende des Mittelalters, zu einer Zeit, in der der Wohlstand zur vollen Blüte gelangte, kam auch auch die Vernunft zum Einklang. In schöner Harmonie mit dem Bankier aus der Lombardei oder aus Florenz, machte Lyon auch Schule in den geistigen Strömen der Renaissance, und es entstanden hier einige ihrer schönsten Blüten. Das stand natürlich auch in direktem Zusammenhang mit der Tatsache, daß der Lyoner neuen Ideen und deren Verbreitung gegenüber sehr aufgeschlossen war, denn über ganz Europa breitete sich damals der Humanismus aus. Und die Saat der Reformation fand hier einen besonders fruchtbaren Boden für eine wahre Volksbewegung. Der Lyoner, schon immer «an der Wegekreuzung» gelegen, befand sich hier am Kreuzungspunkt einer in Wallung geratenen Welt, unterstützt durch eine kapitale Erfindung: den Buchdruck. Die Drucker der Stadt sollten in der Verbreitung des Wissens eine gewaltige Rolle spielen.

In der ganzen Stadt hallte der Lärm der flinken Ameisen im Weberviertel wider, in Lyon die «Grande Fabrique» genannt. Sie war ihre gewaltige Einnahmequelle, der sie alles - oder manchmal auch, in Krisenzeiten - nur wenig verdankte. Mitte des 17. Jahrhunderts lebten, im Zeichen der Seide, 30000 Lyoner im Rhythmus ihrer 14000 Webstühle. Lambert d'Herbigny, der königliche Intendant, sagte über die Meister, Arbeiter und Leh-

which gave it all, or sometimes in a period of crisis, little, of its huge potential. In the middle of the 17th century, under the silk sign, 30 000 workers in Lyon lived to the rythm of 14 000 looms: «.... industrious, inventive, flexible, greatly attached to his interest, showing plenty of order and attention to business», said the King's Intendant, Lambert d'Herbigny, when referring to the master, the worker or the apprentice.

But, during the following century, not long before the Revolution, the angry, hungry silk workers twice had to defend their condition. It was no longer the old «Rebeyne» which, as in 1529, had been the expression of an excess of anger among the common folk, engraving the name for ever as the Lyonnais way of saying «rebellion», but the typical class demands, forerunner of future conflicts of which the «canut» was to be the hero a century later.

But an important turning point was at hand which was to be negociated in an original and dramatic way by the people of Lyons ....

In the times that preceded the Revolution, there was unrest within the Lyonnais region. Like many other districts we might say. But here, the spirit was different and in the end, it acquired a dangerous label, the equivalent almost of being outcast, which resulted in its evolution against the stream of National History.

In the beginning, causing no problems, were the free masons who inspired such a strong movement that we cannot help but see it as the sign of an «inspired opinion», shared by an elite to be found in the intellectual societies and cultural meetings. An eminent specialist in the matter underlined how risky it was to «detect a concerted action in the political doings of the free-masons of Lyons». It can be said that «both in their general attitude, and in their private correspondence, they showed a real attachment to royal principles. However, the ma-

Depuis Fourvière **St Michel** veille sur la Ville.

Hoch oben vom Turm von Fourvière wacht **Sankt Michael** über die Stadt.

From Fourvière, **St Michael** keeps watch over Lyons.

L'on peut dire qu'ils «témoignaient, dans leur conduite publique comme dans leur correspondance privée, d'un réel attachement aux principes monarchiques. Toutefois, l'idéal maçonnique a pu contribuer au succès de la cause des Insurgents: la participation des Lyonnais, Beaujolais, Foréziens à la guerre d'Amérique a été importante et les vertus du Nouveau Monde étaient célébrées à l'envi dans le «Journal de Lyon» comme à l'Académie. C'était d'ailleurs là un moyen d'affirmer des sentiments d'anglophobie qui, pour des raisons commerciales, sont tenaces au coeur des Lyonnais.»

Voilà bien un pragmatisme économique qui sied au Lyonnais et qui prévaut sur les grandes questions du moment. Mais, en définitive, «à la veille de la Révolution, la franc-maçonnerie lyonnaise se consacrait à des fins multiples: elle s'efforçait de développer le sens de la sociabilité et même de satisfaire d'indispensables besoins sociaux; mais surtout, elle servait les aspirations des Lyonnais vers le rêve. Lyon était devenu un des foyers mystiques les plus actifs de l'Europe.»(3)

On ne peut, à l'évidence, se contenter de cette seule constatation car, assurément, la ville et ses habitants «reçurent» la Révolution en une période critique de leur existence. Etouffée par le pouvoir central, dirigée par une oligarchie attachée au maintien de règles et de privilèges établis, Lyon vivait en état de crise, comme le démontrait une misère populaire que la charité, même typiquement érigée en institution, se montrait dans l'incapacité de juguler. Les «idées nouvelles», si elles atteignirent l'élite dirigeante ou possédante, plus une bourgeoisie animant un Tiers état conscient d'avoir à rénover l'appareil qu'une noblesse pesante et vieillissante accaparait, ne filtrèrent pas limpidement au travers de l'édifice malade. Et puis la province n'était pas la capitale, le Lyonnais, sans «ténors» ni catalyseurs, se plaçait trop loin des

rlinge: «Industriedenken, Erfindungsreichtum, Anpasungsfähigkeit, ein eisernes Festhalten an den eigenen Interessen, viel Ordnung und Sorgfalt im Geschäft».

Im folgenden Jahrhundert, kurz vor der Französischen Revolution, gingen die Seidenweber jedoch zweimal, die Wut über ihr Elend im Bauche, auf die Straße, um ihre Lage zu verbessern. Dabei handelte es sich nicht mehr um die «Rebeyne» (siehe weiter unten), den Volksaufstand, wie er 1529 ausgebrochen war, um der Wut der Bevölkerung Luft zu machen - so daß noch heute in Lyon eine Revolte als Rebeyne bezeichnet wird - sondern um einen Klassenanspruch, wie er für kommende Konflikte typisch wurde, ja diese vorausahnen ließ. Im kommenden Jahrhundert wird der Weber, in Lyon «canut» genannt, deren Held sein.

Wir nähern uns jedoch einer bedeutenden Wende, die der Lyoner auf recht originelle und dramatische Weise erleben wird...

Der Lyoner ist, im Vorzimmer der Revolution, voller Erregung. Wie andere, könnte man sagen. Und doch weht hier ein anderer Geist, und schließlich wird man ihm ein äußerst gefährliches Etikett anhängen, eine Art Index, den er seiner Entwicklung verdankt, die der nationalen Geschichte genau zuwider läuft.

Am Anfang, noch ohne jeden Konflikt, steht das Freimaurertum, Inspirator einer starken Bewegung, die wir wohl nicht anders betrachten können als den Wiederschein einer «aufgeklärten Meinung», die von einer Elite, in den gelehrten Zirkeln und kulturellen Vereinigungen, geteilt wurde. Einer der angesehensten Spezialisten in diesen Fragen hat unterstrichen, wie sehr gewagt es wäre, «in den politischen Handlungen der Lyoner Freimaurer eine konzertierte Aktion suchen zu wollen». Man kann sagen, daß sie «in ihrem öffentlichen Verhalten, wie in ihrer Privatkorrespondenz, eine echte Anhänglichkeit an die Prinzipien der Monarchie an den Tag legten. Das

sonic ideal may have contributed towards the success of the Rebel's cause: a great number of men from Lyons, and the Beaujolais and Forez regions had taken part in the American war and the virtues of the New World were celebrated with envy in the «Journal de Lyon» and by the Academy. Besides, this was an excellent way of confirming their anglophobia which, for commercial reasons, was strongly felt by the people of Lyons.»

So here was an economic pragmatism that suited the Lyonnais well and which prevailed over the important questions of the time. But, finally, «on the eve of the Revolution, freemasonry in Lyons dedicated itself to a number of causes: it endeavoured to develop a sense of sociability amongst the people and even to meet certain urgent social needs; but, in particular, it encouraged the people of Lyons to dream. Lyons had become one of the most active mystic centres of Europe.» (3)

It is obvious that one cannot be content with this fact alone, since it is certain that the town «received» the Revolution at a critical time in its existence. Stifled by the central power, directed by an oligarchy attached to maintaining the established rights and privileges, Lyons was living in a state of crisis, revealed in the poverty that reigned amongst the commonfolk and which charity, although it had become an institution, was incapable of curing. The «new ideas», even if they did reach the governing or property-owning elite and a bourgeoisie prompting a Tiers Etat conscious of having to renovate the system of an ageing and ponderous nobility, did not clearly penetrate the ailing structure. Besides, Province was not the capital and the Lyonnais, without «tenors» or catalysts, was too far from the problems of the Parisians to respond to what was expected of him. The pronouncements of a «visionary» of the Revolution such as Chalier were suppressed and stifled. The Convention then did everything in its power to

A Fourvière dans le respect de la "ferveur première", celle des martyrs de l'an 177...

In Fourvière, in tiefem Respekt für den Eifer der ersten Stunde, den Eifer der Martyrer des Jahres 177...

At Fourvière, in the respect of the «first fervour», that of the martyrs of the year 177...

Lyon-Lumière: cette vue n'est pas sans rappeler l'extraordinaire embrasement de la ville chaque 8 décembre, en l'honneur de la Vierge qui épargna à Lyon bien des maux.

Lyon, die Lichterstadt: dieses Foto erinnert an den 8. Dezember, an dem jedes Jahr die Stadt, zu Ehren der Gottesmutter, die Lyon vor so manchem Übel bewahrt hat, in einem Lichtermeer erstrahlt.

Lyons illuminated, this view reminds us the extraordinary blazing up of the city eve 8th December in honour of the Virgin, wl protected Lyons from many difficulties.

préoccupations parisiennes pour répondre à ce que l'on attendait de lui. Le discours d'un «illuminé» de la Révolution tel que Chalier fut réduit puis étouffé. La Convention fit tout alors pour briser ce contre-courant, dénonçant abusivement Lyon comme une place royaliste qu'elle n'était pas vraiment - même si les royalistes s'y firent une part belle mais circonstancielle. Dans le sang de la répression on régla l'horloge du temps qui n'en finit toujours pas de marquer, dans une mémoire locale pieusement entretenue, la même heure. On ne put ensuite qu'acclamer le premier Consul, Bonaparte, puis Napoléon qui promettaient le retour à une prospérité si cruellement défaillante, dont la Révolution n'avait su amorcer le retour. Le Lyonnais abhorrait la confusion, saluait l'ordre. On ne régla pas pour autant les problèmes à la base qui resurgiront au siècle de l'industrialisation. Mais le fait est que Lyon se plaçait désormais, par ressentiment et par un sens du particularisme assez aiguisé, dans l'opposition à tout - ou presque - ce qui pouvait venir de Paris - c'est-à-dire l'«autre capitale».

Dans ce climat de début de XIXème siècle, où cohabitaient sans complexe la reprise économique et les aléas et revirements politiques, naquit un personnage qui réussira le tour de force de définir, semble-t-il pour l'éternité, le Lyonnais: Guignol. Paradoxalement, sa source d'inspiration empruntera à un modèle transalpin, mais preuve nous est ainsi fournie - s'il en était besoin - que la ville s'est toujours inspirée ou servie de sa position de carrefour.«A la fin du XVIIIème siècle, nous raconte Edmond Locard, vivait au bord du Rhône un brave homme nommé Laurent Mourguet: il était canut, c'est-à-dire ouvrier en soie, puis colporteur. Ce gagne-petit élargit son négoce. Il devint dentiste. Et pour attirer les chalands, il fait vivre des marionnettes. Ce sont d'abord Polichinelle, Arlequin, Pierrot et Colombine. Mais un jour il rencontre dans une rue

Freimaurerideal kann jedoch zum Erfolg der Sache der Aufständischen beigetragen haben: die Teilnahme der Bewohner des Lyonnais, des Beaujolais und des Forez am Krieg in Amerika war sehr bedeutend, und die Werte der Neuen Welt wurden im «Journal de Lyon», wie in der Akademie, ausgiebig gefeiert. Dies war übrigens ein Mittel, den englandfeindlichen Gefühlen Ausdruck zu verleihen, die, aus kommerziellen Gründen, im Herzen der Lyoner tief verankert sind.»

Das ist wieder einmal ein wirtschaftlicher Pragmatismus, wie er dem Lyoner gut ansteht, und der, gegenüber den großen Fragen des Augenblicks, die Oberhand behält. Doch schließlich «widmete sich die Lyoner Freimaurerei, am Vorabend der Französischen Revolution, einer ganzen Reihe von Zielen: sie war bemüht, den Sinn für soziale Fragen zu entwickeln, ja gar unumgängliche soziale Bedürfnisse zu befriedigen; doch diente sie vor allem dem sehnsüchtigen Streben der Lyoner nach einer Welt voller Träume. Lyon war einer der aktivsten Herde in für Mystik in Europa geworden» (3).

Man wird sich wohl kaum mit nur dieser Feststellung begnügen können, denn die Stadt und ihre Bürger «empfingen» offenbar die Revolution zu einem für ihre Existenz schwierigen Zeitpunkt. Lyon steckte mitten in einer Krise, erstickt von der Zentralgewalt, die von einer Oligarchie geleitet wurde, die großen Wert auf die Erhaltung der etablierten Regeln und Privilegien legte, und die große Armut des Volkes zeigte dies deutlich, der Herr zu werden die Caritas, so typisch zur Institution erhoben, sich als unfähig erwies. Die «neuen Ideen» erreichten wohl die verwaltende oder besitzende Elite, mehr ein Bürgertum, das einen dritten Stand beseelte, der sich bewußt war, daß er den Apparat renovieren mußte, als ein schwerfälliger und alternder Adel, doch durchdrangen sie nicht wirklich das kranke Gebäude. Und dann war die Provinz ja nicht die

break this counter current, abusively denouncing Lyons as a Royalist stronghold, which it wasn't really, even if the Royalists there did meet with a great, but fleeting, success. In the blood of the repression, the clock of Time was set to an hour that local minds have piously preserved still unchanged. Later, they could but acclaim the First Consul, Bonaparte, future Napoleon, who promised the return of prosperity, so cruelly lacking at that time, and that the Revolution had been unable to restore. The Lyonnais hated confusion, and repected order. The basic problems still remained unsettled, coming to light again during the century of industrialization. But the fact was that Lyons, driven by resentment and an accute sense of particularism, was always or nearly always opposed to everything that came from Paris, i.e. «the other capital».

In this climate of the early 19th century, where economic revival and the ups and downs of politics coexisted without complex, a character was born: «Guignol», who was to achieve the extraordinary feat of defining the Lyonnais, so it would seem, for eternity.

Paradoxally, its source of inspiration was borrowed from a transalpine model, but there is enough proof, if needs be, that the town has always been inspired by or used its position as a crossroads. «At the end of the 18th century,» relates Edmond Locard, «a good man called Laurent Mourguet used to live by the Rhône. He was a «canut» i.e. a silk worker, before becoming a pedlar. The poor man expanded his trade and became a dentist. To attract customers, he showed puppets. To begin with Polichinelle (Punch), Harlequin, Pierrot and Colombine. One day, as he was walking along a street in the Croix-Rousse, he met a man from Piemont who had been recently naturalized, called Chignol or Guignol depending on the local or the approximate Italian pronunciation. The man had a pug nose, rosy cheeks, spoke

Que reste-t-il du Canut, de ses gestes, de sa pratique? Quelques compagnons perpétuent la tradition au musée des Canuts, au 10 de la rue d'Ivry.

Was bleibt von den Webern von einst, von ihren Gesten, von ihrer Arbeit? Einige Gesellen erhalten die Tradition, im Webermuseum, 10 rue d'Ivry, lebendig.

What is left of the Canut, his activities, his practice? A few craftmen contiue the tradition at the Canuts Museum, 10 rue d'Ivry.

de la Croix-Rousse, un Piémontais fraîchement naturalisé, que l'on nomme Chignol ou Guignol, suivant qu'on préfère la prononciation locale ou celle, approximative, d'Italie. Cet homme a le nez camus, les joues roses, la voix nasillarde, et porte sous un bonnet noir de très petit format, une couette de cheveux noirs aussi, tressés, et qui entrera dans l'histoire sous le nom de «sarsifis»...»

La marionnette, Guignol, était née. A côté de lui, Mourguet statufie Gnafron au nez violacé, «bijoutier sur le genou», c'est-à-dire ressemeleur et ivrogne. Il leur joint Madelon, femme de Guignol, fidèle mais «tarabâte», ce qui signifie qu'elle n'a pas toujours bon caractère. Et voilà une troupe constituée. Elle représente avec une vérité émouvante les canuts d'hier...»

Le théâtre de Guignol se composera d'après l'image locale. Pas sur le répertoire, qui emprunte souvent à d'autres rivages, mais sur la «distribution» qui s'efforce à une adaptation de la «vie quotidienne». Guignol, frondeur, qui joue de la trique, même s'il en use, au passage, sur sa compagne (mais pas parce que Madelon le trompe, simplement parle-t-elle trop et possède-t-elle un caractère impossible), ce Guignol donc n'a rien de l'excentrique - si l'on ose dire-; il se conforma à cette pudeur laborieuse qui fait de l'amitié et de la fidélité des vertus qui, lorsqu'elles sont accordées, le sont parcimonieusement mais à coup sûr.

Partant de là, ce siècle -le XIXème - sera celui des définitions, des portraits qui fixeront, avec plus ou moins de bonheur, le Lyonnais dans ce qu'il avait de remarquable ou, du moins, de remarqué. Lamartine ne nous surprendra guère avec ses impressions: «...On voit que partout la population, les ateliers, l'activité, la richesse, le travail, ont disputé la place à l'air et à la bonne lumière, choses sans prix dans le commerce. En entrant dans la ville, son aspect sombre, et monacal, saisit le coeur (...) Tout annonce une ville sérieuse, occupée d'une seule pensée,

Hauptstadt; der Lyoner, ohne Wortführer oder Vermittler, war zu weit entfernt von den Sorgen und Problemen in Paris, um die von ihm erwartete Antwort zu geben. Die Reden eines «Schwärmers» der Revolution, wie Chalier, wurden heruntergespielt und dann zum Schweigen gebracht. Darauf hin unternahm die Convention alles, um diese Gegenströmung zu brechen, indem sie fälschlich Lyon als royalistisch denunzierte, was es nicht wirklich war - selbst wenn der Anteil der Royalisten beträchtlich, doch eben nur den Umständen entsprechend war. Im Blute der Repression stellte man die Uhr ein, die noch immer nicht, im fromm bewahrten lokalen Gedenken, die gleiche Stunde schlägt. Man konnte später nicht anders, als dem ersten Konsul, Bonaparte, zuzujubeln, dann Napoleon, der das Wiedererstehen der so schmerzlich fehlenden Prosperität versprach, was die Revolution nicht einmal in Anfängen fertig gebracht hatte. Dem Lyoner waren die Wirren ein Greuel, er begrüßte die Ordnung. Doch wurden die Probleme an der Basis dabei nicht gelöst, die im Zeitalter der Industrialisierung wieder auftauchten. Doch trat Lyon von da an unleugbar, durch Ressentiments und ein überspitztes Gefühl für Partikularismus, in Opposition zu allem - oder fast allem - was auch immer aus Paris kam, also aus der «anderen Hauptstadt».

In dieser Atmosphäre zu Anfang des 19. Jahrhunderts, in der ohne jeden Komplex der wirtschaftliche Aufschwung und die politischen Irrungen und Wirrungen nebeneinander lebten, erlebte eine Person das Licht der Welt, die das Unglaubliche schaffen sollte, den Lyoner, es scheint für immer, zu definieren: Guignol. Paradoxerweise stand seine geistige Wiege jenseits der Alpen in Italien, doch ist das nur einmal mehr der Beweis - sollte das überhaupt noch nötig sein - daß die Stadt schon immer aus ihrer Lage an einem Kreuzungspunkt ihre Kraft und Inspiration gezogen hat.

through his nose and, under a small black bonnet, wore his hair, which was also black, in a plait that was to go down in history under the name of «sarsifis».

The puppet Guignol was born. With him, Mourguet created Gnafron, with his purple nose, shoemender and drunkard. He added Madelon, Guignol's wife, faithful but often «tarabâte», meaning bad-tempered. And that composed the troupe; a moving witness to the life of the yesterday's canuts».

The Guignol theatre was one of local imagery, not the repertoire, which often borrowed from abroad, but the «cast» who endeavoured to adapt situations of «everyday life». Rebellious Guignol who plays with a stick, which he sometimes even uses to beat his wife, (not because she is unfaithful to him, but because she talks too much and has an impossible temper!) But Guignol is by no means excentric. We might say that he conforms to that strained modesty which makes of friendship and faithfulness virtues which, when they are in tune, are parsimoniously, but surely so.

Henceforth, this 19th century, was to be one of definitions, of pictures that were to portray, more or less succesfully, the typical characteristics of the Lyonnais or at least what were the most conspicuous.

Lamartine will hardly surprise us with his impressions: « you see that everywhere the population, the workshops, the activity, the richness, the work have fought for air and light, things that are priceless in business. On entering the town, one is struck by its dark, austere aspect (...). Everything announces a serious town with only one thing in mind, the spirit of this town at work».

Not to be outdone, Stendhal in his «Mémoires d'un touriste» added a culinary touch, describing the original habits that predominated in this society as soon as it was a question of gathering around the table. Even if the

Au musée des Canuts, balances et étuves à soie et canettes sur métier Jacquard.
Im Webermuseum: Waagen, Trockenöfen und Spulen auf einem Jacquard-Webstuhl.
At the Canuts Museum, silkscales and ovens and bobbins on a Jacquard loom.

âme de cette ville au travail.» Pour ne pas être en reste, Stendhal apportera, dans ses «Mémoires d'un touriste», sa touche culinaire, décrivant les mœurs originales qui régnaient dans cette société dès qu'il s'agissait de se réunir autour d'une table. Même si l'auteur de «La Chartreuse de Parme» apprécia le rite avec cette phrase restrictive qui peut fortement déplaire: «Je ne connais qu'une chose que l'on fasse très bien à Lyon. On y mange admirablement...»

Voilà qui nous laisse véritablement sur notre faim quand on veut, en profondeur, pénétrer le sérail qui n'est pas fait ici d'intrigues mais de travail et de sueurs souvent mal récompensés. Le «canut», dans l'essor du capitalisme montant, de l'industrialisation sauvage et de ses crises, pousse sous son drapeau de révolte son cri: «Vivre en travaillant ou mourir en combattant.» Les insurrections sanglantes de 1831 et de 1834 de l'ouvrier en soie lyonnais feront autant que des siècles de traditions et de coutumes pour imprimer d'irrémédiables «différences». Car, on le soulignera à plaisir, notre ouvrier ne présente rien de commun avec ce nouveau produit de «caravansérails d'usine», cet homme transformé en «numéro matricule». L'érudit Nizier de Puitspelu (de son vrai nom Clair Tisseur), dans ses «Vieilleries lyonnaises», en était venu à apostropher «Monsieur Zola»: «Au lieu des scènes écœurantes et si souvent fausses de »Germinal«, il (Zola) aurait pu peindre des scènes honnêtes et vraies, dans un bon livre, où aurait pu revivre mon vieux canut.»

S'il s'insurge, s'il fait trembler le bourgeois, le nanti du «Enrichissez-vous» préconisé par l'ère louis-philipparde, le canut, dans sa démarche et sa mise, récuse l'attitude et le débraillé de l'ouvrier parisien, se moquant - en se ressourçant à un antagonisme latent - de ce qui se fait et se dit en la capitale.

Il y avait là de quoi attirer des regards extérieurs, celui, en particu-

Edmond Locard erzählt, daß «Ende des 18. Jahrhunderts an den Ufern der Rhône ein tüchtiger Mann namens Laurent Mourguet lebte; er war erst "canut", also Seidenweber, dann fahrender Händler. Dieser arme Schlucker erweiterte seinen Geschäftsbereich, er wurde Zahnarzt. Und um die Kundschaft anzulocken, benutzte er Handmarionetten. Das waren zunächst Polichinell, der Harlekin, Pierrot und Colombina. Doch eines Tages begegnete er im Croix-Rousse Viertel einem soeben eingebürgerten Einwohner aus Piemont, den man Chignol oder Guignol rief, je nachdem man die lokale oder mehr latinisierende Aussprache bevorzugte. Dieser Kerl hatte eine Sattelnase, rote Backen, eine näselnde Stimme, und er trug, unter einer sehr engen schwarzen Mütze, einen Schwanz aus rabenscharzen geflochtenen Haaren, der unter dem Namen "sarsifis" (Bocksbart) in die Geschichte eingehen sollte.»

Die Figur des Guignol war geboren. Ihm stellte Mourguet Gnafron zur Seite, den trunksüchtigen «Juwelier auf'm Knie», also Schuhflicker mit der dunkelroten Nase. Denen gesellte sich noch die Madelon zu, Guignols Eheweib, treu doch zuweilen böswillig, was man in Lyon mit dem unübersetzbaren Wort «tarabate» bezeichnet. Der Grundstock für ein Marionettentheater war gegeben. Es stellt, auch heute noch, mit rührender Echtheit die Weber von einst vor...

Das Guignol-Puppentheater ist ein Spiegelbild des Lokallebens. Nicht das Repertoire, das oft von anderen Ufern inspiriert wurde, sondern die Verteilung der Rollen, die bemüht ist, sich an das tägliche Leben anzupassen. Guignol, der Widerspenstige, der mit der Rute spielt, selbst wenn er sie dann und wann an seinem Eheweib erprobt (jedoch nicht so sehr, weil Madelon ihn betrügt, sondern nur weil sie zuviel schwatzt und einen unmöglichen Charakter hat), dieser Guignol ist also kein Exzentriker - wenn man so sagen darf; er unterwirft

author of «La Chartreuse de Parme» expressed his appreciation of the rite with this grudging phrase that might well be displeasing «I know only one thing that you do very well in Lyons. You eat remarkably well, the food is excellent».

But all this is most unsatisfactory for one who wishes to penetrate deep into the real intimate nature of the town, which was not made here of trivialities but of hard work and sweat, often ill-rewarded. The «canut» in the midst of rising capitalism, unauthorized industrialization and crises cried out under his banner of revolt «Live working or die fighting». The bloody uprisings in 1831 and 1834 of the Lyonnais silk workers did as much as centuries of tradition to implant irremediable «differences». For, as it was to be underlined with satisfaction, these workers have nothing in common with this new product of the «Factory Caravanserai», the worker made into a mere «number».

The learned Nizier de Puitspelu (whose real name was Clair Tisseur) in his «Vieilleries lyonnaises» addressed «Mr Zola» in rather sharp terms : «Instead of the disgusting and often false scenes described in «Germinal», he (Zola) could have described honest and accurate scenes in a good book telling the story of my old «canut».

Even if he rebelled or made the bourgeois tremble, i.e. the wealthy people of the «Get rich» policy advocated during the Louis-Philippe period, the canut, in his behaviour and his clothing rejected the attitude and slovenliness of the Parisian worker, and was inspired by a latent antagonism, heedless of what was said or done in the capital.

There was enough here to draw the attention of onlookers from the outside, that in particular of Jules Michelet, the liberal and anticlerical decipherer of the human mind: «There is a place, a town where, more than anywhere else, the opposition of two

Dans l'antre du canut, au rythme du «bistanclaque», l'onomatopée qui désigne le métier de l'ouvrier en soie.

In seiner Stube lebte der Weber im Rhythmus des Webstuhles, den er lautmalerisch mit «Bistanclaque» umschrieb.

In the canuts' den, to the rythm of the «bistanclaque», the onomatopeia which designates the silk worker's loom.

lier, de Jules Michelet, le libéral et anticlérical décrypteur de l'âme humaine: «Il est un lieu, une ville entre toutes où l'antagonisme des deux âges, de l'esprit des vieux temps et de l'esprit nouveau apparaît dans toute sa grandeur. Cette ville exerce sur mon âme une inexplicable puissance d'émotion: elle agite en moi un monde de pensées...»

Dans ses «Deux Collines», Michelet écrira qu'«à Lyon plus qu'à Rome, plus qu'à Paris, plus qu'en nulle autre ville, la nature a rendu visible, palpable sous forme matérielle et dans la physionomie même des lieux, la lutte de deux âmes et de deux esprits (...) La nature, front à front, y pose les deux révélateurs de la guerre intérieure de Lyon, deux rocs, la Croix-Rousse et Fourvière.

(...) Les uns croient au Lyon des miracles, aux secours de la charité; ils viennent solliciter le prêtre, distributeur des aumônes du riche; s'ils peuvent, ils s'assoiront au banquet du couvent et, s'ils peuvent, ils y resteront. Leur pèlerinage est à Fourvière.

Mais toi, bon travailleur, tu n'iras pas solliciter la grâce et le bon plaisir, la faveur capricieuse; tu crois à la justice, au travail, à la liberté. Et tu vas chercher la montagne du travail, la sérieuse Croix-Rousse. Tu ne veux de banquet que le pain gagné de tes mains.»

Pour s'en remettre à un jugement lyonnais, tournons-nous vers Edouard Aynard, écrivain, homme de finances, député, fin collectionneur et archétype du gestionnaire et créateur lyonnais de ce siècle des métamorphoses que fut le XIXème:

«...Dans ce milieu vit le Lyonnais, qui semble une race du nord égarée dans le sud, race de travailleurs pensifs qui, tout en portant haut ses regards, s'entend à exploiter la terre. Le Lyonnais s'agite dans les contraires, c'est pourquoi il paraît énigmatique. Tout se heurte en lui. Il est actif et contemplatif; c'est un mystique intermittent, secoué par le rude travail; il est mélancolique, et crée Guignol, ce

sich jener arbeitsamen Scham, die Freundschaft und Treue zu Werten erhebt die, zwar nur sparsam, aber wenn, dann für immer gewährt werden.

Man kann auch sagen, daß das 19. Jahrhundert das Jahrhundert der Definitionen und Portraits war, die, mehr oder weniger gelungen, den Lyoner mit dem festhalten, was er an Bemerkenswertem, oder zumindest an Bemerktem, aufzuweisen hat. Lamartine überrascht uns kaum mit seinen Eindrücken: «Man sieht, daß überall die Bevölkerung, die Werkstätten, das geschäftige Treiben, der Reichtum, die Arbeit ihren Platz der Luft und der Sonne streitig machen, Dinge, die nicht in Geld auszudrücken sind. Wenn man die Stadt betritt, ergreifen ihr düsteres und mönchhaftes Aussehen das Herz (...) Alles weist hin auf eine seriöse Stadt, beschäftigt mit nur einem Gedanken, der Seele dieser arbeitenden Stadt.»

Um dem nicht nachzustehen, gibt Stendhal, in seinen «Mémoires d'un touriste» (Erinnerungen eines Touristen) seinen kulinarischen Senf hinzu und beschreibt die eigenartigen Sitten, die in dieser Gesellschaft herrschten, sobald man sich gemeinsam zu Tische setzte. Auch wenn der Autor der «Kartause von Parma» diesen Ritus mit diesem restriktiven Satz umschreibt, der stark mißfallen kann: «Ich kenne nur eines, das man in Lyon sehr gut macht. Man ißt dort bewundernswert gut».

Das reicht nun wirklich nicht, um unseren Hunger zu stillen, auf der Suche nach der Seele, beim Vordringen in den Serail, der hier nicht aus Intrigen besteht, sondern aus Arbeit und Schweiß, die oft schlecht bezahlt werden. Der Weber wird, unter dem Aufschwung des entstehenden Kapitalismus, der wilden Industrialisierung und ihrer Krisen, unter dem Banner des Aufstandes seinen Kriegsschrei ausstoßen: «Arbeitend leben oder kämpfend sterben». Die blutigen Aufstände der Lyoner Seidenweber

ages, the spirit of ancient times and the new spirit appears in all its greatness. This town has an unexplicably powerful effect on my mind : it causes me to think of so many things» In his «Deux collines», Michelet was to write that «in Lyons, more than in Rome, Paris or any other town, nature has made visible, tangible in its material form and even in the very physionomy of the place the fight between two spirits and two minds (...). Nature, face to face, placed the two revelations of the internal battle of Lyons, two rocks, the Croix-Rousse and Fourvière.

«Some believe in a miraculous Lyons, have faith in charity; they come to beg the priest, distributor ·of the richmans alms. If they can, they will sit down to the convent's banquet and, if they can, they will stay on. Their pilgrimage is to Fourvière.

«But you, good worker, you will not go and beg for grace and good pleasure, capricious favour ; you believe in justice, in work and in liberty. You seek for the mountain of work the grave Croix-Rousse. You want no other banquet than the bread you have earned with your hands.»

To refer to the judgement of a Lyonnais, let us turn towards Edouard Aynard, a writer, financial specialist, member of Parliament, distinguished collector and archetype of the Lyonnais administrator and creator of that century of metamorphoses that was the 19th century: « In this setting lives the Lyonnais who seems to be of a Northern race lost in the South, a race of thoughtful workers who, although they look upwards know well how to work the earth. The Lyonnais spends his energy in contradictions. That is why he seems so enigmatic. Everything collides inside him. He is at the same time active and contemplative, an intermittent mystic shaken by a hard task ; he is melancholic but created Guignol, the scoffing master deeper than Punchinello.

«(...) In politics, we find the same contradictions; our history is full

Une vieille liaison: Lyon et le livre. Aujourd'hui, les bouquinistes règnent sur le quai de la Pêcherie.

Enge Bande verbinden sie: Lyon und die Bücher. Heute bieten die Bouquinisten, auf dem Quai de la Pêcherie, ihre Schätze feil.

An old connection: Lyons and the book, Nowadays, the «bouquinistes» reign over the Quai de la Pêcherie.

Fourvière depuis Bellecour...
Blick auf Fourvière von Bellecour...
Fourvière from Bellecour...

...Bellecour depuis Fourvière.
... und auf Bellecour von Fourvière.
... Bellecour from Fourvière.

maître railleur plus profond que Polichinelle.

(...) En politique, mêmes contradictions; notre histoire est toute de soumission et de révoltes. Le vieux Lyon conquiert dès le XIIIè siècle sa liberté sur ses archevêques, mais il garde quelques-uns des caractères d'une propriété ecclésiastique; il n'a jamais été possédé par aucun seigneur; il n'a connu ni gens de robe, ni gens d'épée, ni Parlement, ni chevaliers; point de noblesse, si ce n'est la noblesse municipale de l'échevinage. C'est pourquoi l'on a pu dire chez nous, avec ironie comme avec vérité, que nos véritables gentilshommes descendaient de la Croix-Rousse...»

Le Lyonnais du siècle suivant, qui aborde l'an 2 000, se retrouve-t-il dans cette configuration, menacée par le poids de l'âge et les transformations de l'ère moderne, tandis que les pendules se règlent à l'heure européenne, dans le cadre nouveau de ce qu'il est convenu de dénommer des «métropoles»? A l'orée de cette aventure grisante mais non dénuée d'interrogations, le maire de Lyon, Michel Noir, estimait: «Notre ville souhaite être l'autre capitale au coeur du réseau des grandes métropoles régionales, d'Anvers à Turin et de Hambourg à Barcelone. Lyon a tout pour réussir pourvu qu'elle rassemble son énergie, qu'elle tourne ses regards vers l'extérieur, qu'elle ne cède plus à la tentation toujours présente de se recroqueviller sur elle-même.»

Espoir légitime sur fond de craintes, celles du réveil des vieux démons qui ont fait, tout de même, plus qu'ils n'ont défait; mais le contexte évolue aujourd'hui considérablement et rapidement. Le «gone», ce Lyonnais par excellence, se doit, se devra de répondre présent et de relever les défis du troisième millénaire.

von 1831 und 1834 werden ebenso stark, wie die Jahrhunderte der Traditionen und Bräuche, unumstößliche Unterschiede zum Ausdruck bringen. Denn, und das kann man nur immer wieder unterstreichen, unser Seidenweber hat nichts gemein mit dem neuen Produkt der «Fabrik-Karavanserai», diesem zur Nummer degradierten Menschen. Der Lokalhistoriker Clair Tisseur, alias Nizier du Puitspelu, geht soweit, in seinen «Vieilleries Lyonnaises» Monsieur Zola anzugreifen: «Anstelle der ekelerregenden und so oft falschen Szenen in "Germinal", hätte er (Zola) lieber die ehrenhaften und wahren Szenen beschreiben können, in einem richtigen Buch, in dem mein alter Freund, der Weber, zu neuem Leben erwacht wäre».

Der Weber, wenn er sich, in seinem Auftreten und seiner Kleidung, auflehnt, den Bourgeois erzittern läßt, diesen Wohlhabenden des «Bereichert Euch», wie es vom Zeitalter von Louis-Philippe gepredigt wird, dann lehnt er die lässige Art des Pariser Arbeiters ab, macht sich lustig über das, was in der Hauptstadt gesagt und getan wird, und er entnimmt seine Kraft einem alten latenten Antagonismus.

Das mußte wohl oder übel auch die Blicke anderer auf sich ziehen, besonders den von Jules Michelet, dem liberalen und antiklerikalen Entschlüsseler der menschlichen Seele: «Es gibt einen Ort, eine Stadt unter allen, in der der Antagonismus zwischen den beiden Generationen, dem Geist der alten Zeit und dem neuen Geist in seiner ganzen Größe erscheint. Diese Stadt übt auf meine Seele eine unerklärliche emotionale Macht aus: sie bewegt in mir eine Welt voller Gedanken.»

In «Deux Collines» (Zwei Hügel), wird Michelet schreiben, daß «in Lyon, mehr als in Rom, mehr als in Paris, mehr als in jeder anderen Stadt, die Natur den Kampf zweier Seelen und zweier Geister sichtbar, materiell und in der Physionomie der Stätten selbst spürbar gemacht hat (...) Die

of surrenders and revolts. The old Lyons wins its liberty over its archbishops as early as the 13th century, but has preserved some of the features of an ecclesiastic property; it has never been owned by any lord; it has never known any men of law, nor men of the sword, nor Parlement, nor knight; no nobility, apart from the municipal nobility of bodies of «échevins» (aldermen). That is why we were able to say with irony, but quite truthfully, that our real gentlemen came from the Croix-Rousse.

Will the Lyonnais of the following century, just before the year 2000, be able to find himself within this configuration endangered by the weight of time and the transformations of the modern era whilst the clocks are set to European time within a new system of the so-called «metropoles».

On the edge of this exhilarating adventure, exciting but not free from some uncertainty, Michel Noir, Mayor of Lyons, estimated that; «Our town wishes to be the other capital in the heart of a network of large regional metropolises from Antwerp to Turin and from Hamburg to Barcelona. Lyons has everything to succeed as long as it gathers its energy and looks further abroad, no longer giving way to the ever present temptation of closing in on itself.

Legitimate hope on a background of fears; that of the revival of ancient demons who, all being considered, have built more than they have demolished; but the context is rapidly and greatly developing today.

The «gone», Lyonnais «par excellence» owes it to himself and should reply present, to take up the challenge of the 3rd millenary.

Pointer, tirer, faire un carreau? Autant de termes de la boule Lyonnaise. Le perdant, lui, «baisera la Fanny»

«Pointer, tirer, faire un carreau»; Sie kennen diese Ausdrücke nicht? Kein Wunder! Sie sind der Sprache der Lyoner Bocciaspieler entnommen. Und der Verlierer «darf» die Fanny küssen.

«Pointer», «tirer», «faire un carreau»? All terms if the Lyons bowls game.

Le gone symbolise le Lyonnais par excellence. Mais d'ou vient-il? On lui accorde une origine grecque, de «gonos», signifiant enfant. Clair Tisseur, maître de notre «langue» lyonnaise précise, à l'appui, que «Lyon avait une colonie grecque si considérable que l'on y prêchait en cet idiome».

Mais comme il se doit, la querelle étymologique a animé beaucoup de savants esprits qui n'ont pas hésité à porter la contradiction. J.B. Onofrio, dans son «Essai d'un glossaire de Lyonnais, Forez et Beaujolais» (1864) en a vu l'origine dans le roman «gona», robe. Cette robe était portée par les petits enfants ce qui justifierait la relation avec notre gone, le titi lyonnais. Evidemment, cette version est contestée, même si Clair Tisseur, alias Nizier du Puitspelu, finit par s'y rallier...

(1) «Le patriciat lyonnais aux XIIIᵉ et XIVᵉ siècles.»
(2) Marc Brésard: «Les foires de Lyon aux XVᵉ et XVIᵉ siècles.»
(3) L. Trénard: «Francs-maçons et mystiques lyonnais...»

Natur stellt hier frontal die beiden Offenbarer des inneren Krieges von Lyon gegenüber, zwei Felsen, den des Croix-Rousse und den von Fourvière.

(...) Die einen glauben an das Lyon der Wunder, an den Beistand der Liebe; sie suchen den Priester um Hilfe an, den Verteiler der Almosen der Reichen; wenn sie es können, setzen sich sich am klösterlichen Bankett nieder und bleiben dort. Ihr Wallfahrtsort ist Fourvière.

Du aber, guter Arbeiter, du wirst nicht um Gnade und angenehme Freuden bitten, die launenhafte Gunst; Du glaubst an die Gerechtigkeit, die Arbeit, die Freiheit. Und Du machst Dich auf die Suche nach dem Berg der Arbeit, dem seriösen Hügel des Croix-Rousse. Als Bankett willst Du allein das mit Deiner Hände Arbeit verdiente Brot.»

Bitten wir einen Lyoner um das abschließende Urteil, Edouard Aynard, Schriftsteller, Financier, Abgeordneter, großer Sammler und Archetyp des Managers und des Schaffenden im Lyon des Jahrhunderts der Metamorphosen, das das 19. Jahrhundert gewesen ist: «In diesem Milieu lebt der Lyoner, der einer Rasse aus dem Norden zu entstammen scheint, die sich in den Süden verirrt hat, einer Rasse von nachdenklichen Arbeitern die, auch wenn ihr Blick weit fällt, es versteht, die Erde zu bearbeiten. Der Lyoner ist zerissen zwischen seinen Gegensätzen, deswegen erscheint er als so rätselhaft. Alles in ihm stößt aufeinander. Er ist aktiv und kontemplativ; er ist in Abständen mystisch, erschüttert von der schweren Arbeit; er ist melancholisch, und er schafft Guignol, den Meister des Spotts, viel tiefgreifender als Polichinell. (...)

In der Politik die gleichen Widersprüche; unsere Geschichte besteht ganz aus Unterwerfungen und Revolten. Das Lyon von einst erobert schon im 13. Jahrhundert seine Freiheit von den Erzbischöfen, doch behält es einige der Charakterzüge eines kirchlichen Besitztums bei; kein weltlicher Herr hat es je besessen; es hat nie Talar- noch Schwertträger, nie ein Parlament, nie einen Adel gekannt, es sei denn den städtischen Adel eines Schöffenamtes. Daher hat man bei uns, mit Ironie aber auch zu Recht, sagen können, unsere wahren Edelleute seien vom Croix-Rousse herabgestiegen.»

Findet sich der Lyoner des folgenden Jahrhunderts, das auf das Jahr 2000 zugeht, in dieser Aufzählung wieder, die bedroht ist vom Gewicht des Alters und der Änderungen der modernen Zeit, während die Uhren auf die europäische Zeit eingestellt werden, im neuen Rahmen dessen, was man heute allgemein «Metropolen» nennt? Am Beginn dieses berauschenden Abenteuers, bei dem es jedoch nicht an Fragezeichen mangelt, meinte der Oberbürgermeister von Lyon, Michel Noir: «Unsere Stadt möchte die andere Hauptstadt sein, im Herzen eines Netzes großer regionaler Metropolen, von Antwerpen bis Turin und von Hamburg bis Barcelona. Lyon hat alles, um Erfolg zu haben, vorausgesetzt es vereinigt seine Energien, wendet seinen Blick nach außen, unterliegt nicht mehr der Versuchung, die noch immer vorhanden ist, sich ängstlich auf sich selbst zusammenzuziehen.»

Legitime Hoffnung, vor dem Hintergrund von Befürchtungen, daß die alten Dämonen wieder erwachen, die, trotz allem, mehr Positives als Negatives geschaffen haben; doch das Umfeld entwickelt sich heute in bedeutendem Maße und schnell. Der «Gone», wie der Lyoner par Excellence hier liebevoll genannt wird, muß heute und in der Zukunft die Herausforderungen des dritten Jahrtausends annehmen.

Les "pieds humides", autrement dit les buvettes caractéristiques que l'on trouve du côté de Rhône et Saône.

Die typischen Lyoner Trinkhallen, zwischen Rhône und Saône werden liebevoll «Feuchte Füße» genannt.

Wet feet, (pieds humides), or in other words the typical refreshment stalls to be found near the Rhône and Saône.

Le Lyonnais dans son cadre: la Saône paisible renvoyant comme un miroir les couleurs de la ville...

Der Lyoner und sein Lebensraum: in der friedlichen Saône spiegelt sich die Farbenpracht der Stadt.

The Lyonnais in a frame: the peaceful Saône reflecting like a mirror the colours of the town.

DES HOMMES, UNE HISTOIRE

LYONER, DIE GESCHICHTE MACHTEN

MEN AND HISTORY

Guerriers, découvreurs, aventuriers, chercheurs, à la sueur de leur front ou à la lumière d'une philosophie, tous ont su donner un sens à leur vie et, par là même, une orientation décisive à celle de leurs contemporains. Ces hommes, ces femmes sont ceux qui ont écrit, ou ont contribué à écrire l'HISTOIRE et qui nous conduisent, lorsque l'on retrace leur épopée, sur un long chemin qui porte l'empreinte du temps, l'empreinte de notre passé. Lyonnais, vous voici...

Le premier auquel nous rendrons hommage est le père-fondateur de la cité: il se nommait Lucius Munatius Plancus. Voici d'abord, énumérés, ses états de service: issu d'une illustre famille plébéienne, il fut l'un des plus fidèles partisans de César; après la seconde expédition en Grande-Bretagne, il commande une légion dans le Belgium, puis chez les Carnutes. Lieutenant de César en Espagne (49 av. J-C.), puis en Afrique, il devient ensuite gouverneur de la Gaule transalpine, moins la Narbonnaise et la Belgique. Il fonde bientôt les colonies de Lugdunum et de Raurica. Consul en l'an 42, Plancus participe aux grandes campagnes romaines: la guerre de Pérouse, est nommé gouverneur de Syrie avant de marcher aux cotés de Pompée en Egypte... et de passer au service d'Antoine à qui il propose, en 37, de décerner le titre d'Auguste. Devenu Censeur (magistrat romain chargé du recouvrement de l'impôt, du recrutement de l'armée et de la tenue des

Krieger, Entdecker, Abenteurer, Forscher, alle haben es, im Schweiße ihres Angesichts oder im Lichte einer Philosophie, verstanden, Ihrem Leben einen Sinn, und damit dem Leben ihrer Zeitgenossen eine entscheidende Ausrichtung zu geben. Diese Männer und Frauen haben die GESCHICHTE geschrieben, oder zumindest dazu beigetragen, und sie führen uns, wenn man ihre Abenteuer nachzeichnet, auf einen langen Weg, der geprägt ist von der Zeit, von unserer Vergangenheit. Hier seid Ihr, Lyoner...

Der erste, dem wir die Ehre erweisen, ist der Vater und Gründer der Stadt: er hieß Lucius Munatius Plancus. Hier zunächst einmal die Aufzählung seiner Dienstgrade: er entstammt einer berühmten Plebejerfamilie und war einer der getreuesten Anhänger Cäsars. Nach dem zweiten Englandfeldzug, befiehlt er einer Legion im Belgium, dann bei den Karnuten. 49 vor Chr. geht er als Leutnant von Cäsar nach Spanien, dann nach Afrika, bevor er Befehlshaber der Gallia Transalpina wird, mit Ausnahme der Provinzen Noarbonensis und Belgien. Bald gründet er die Kolonien von Lugdunum und Raurica. Im Jahre 42 wird er zum Konsul ernannt und nimmt an den großen Feldzügen Roms Teil, dem perusinischen Krieg. Er wird zum Gouverneur von Syrien ernannt und zieht dann, an der Seite von Pompejus, nach Ägypten ... tritt in den Dienst von Antonius, den er, im Jahre 37 zur Kaiserwürde vorschlägt. Nachdem er -

Warriors, discoverers, adventurers or research workers, all by the sweat of their brow or in the light of a philosophy gave a sense to their life and consequently a decisive direction to that of their contemporaries. These men and women are those who wrote or contributed to writing HISTORY and who lead us, when we recall their epic, along a long road bearing the imprint of time, the imprint of our past. People of Lyons, this is your history.

The first man to whom we will pay tribute is the founder of the city, Lucius Munatius Plancus. To start with, here is the detail of his career : descendant from a famous Plebeian family, he was one of Caesar's most devout followers ; after the second expedition to Great Britain, he commanded a legion in Belgium and then in the Carnutes nation. He became Caesar's lieutenant in Spain (49 B.C.), and then in Africa and was later appointed Governor of Transalpine Gaul, except for Narbonne and Belgium. He soon founded the colonies of Lugdunum and Raurica. Consul in 42 B.C., Plancus took part in the great Roman campaigns: the war of Perusia. He was appointed Governor of Syria before marching with Pompey to Egypt and passing into the service of Antony to whom he proposed to receive the title of Augustus in 37 B.C. Having become censor (Roman official responsible for collecting taxes, recruitment for the army and supervising good morals) in

bonnes moeurs) en l'an 22, il était le voisin de campagne et l'ami d'Horace qui lui a dédié l'une de ses odes...

Notre homme présenté, quelle fut son action, celle qui signa l'acte de naissance de Lugdunum? Amable Audin était le mieux qualifié parmi les spécialistes de la période antique pour nous décrire, par le menu, dans quel contexte l'événement se déroula, en l'an 43 avant notre ère:

«...Quant au mois et au jour de la fondation, ce fut une aventure de les déterminer. Perpétuant un rite que leur avaient légué les Etrusques, les Romains traçaient l'axe est-ouest d'une ville neuve à partir du point de l'horizon où le soleil émergeait au matin de la fondation. Cet axe, qu'ils nommaient decumanus, le hasard des fouilles l'a fait découvrir sur le territoire de Lugdunum. Compte tenu de calculs complexes et des redressements nécessaires, il désignait les levers solaires du 8 mars et du 10 octobre.

Reste à choisir entre ces deux dates. La correspondance de Cicéron et d'autres textes de moindre prestige ont permis d'établir une chronologie minutieuse de cette année 43 qui fut l'une des années clefs de l'histoire du monde...

(...)Tout débuta aux ides de mars de 44, par le coup de poignard qui tua César. Ce n'est qu'après une année d'atermoiements que les acteurs du drame prirent leur place sur la scène. La première réplique vint de Marc-Antoine qui décida de ravir à Decimus Brutus le gouvernement de la Gaule Cisalpine (l'Italie du Nord), et mit le siège devant Modène où Brutus était réfugié. Trois armées, sous les ordres des consuls Hirtius et Pansa et du jeune Octave, le futur empereur Auguste, vinrent déloger Marc-Antoine qui, deux fois vaincu, s'enfuit à travers les Apennins. Le Sénat mobilisa alors les trois généraux qui gouvernaient les provinces vers lesquelles se dirigeaient le vaincu de Modène: Lépide en Narbonnaise, Plancus en Gaule Chevelue, Pollion en Espagne.

im Jahre 22 -Zensor geworden war (ein römischer Magistrat, der für das Eintreiben der Steuern, die Einstellung der Soldaten in die Armee und für die Einhaltung der guten Sitten verantwortlich war), wurde er, auf seinem Landgut, der Nachbar und Freund von Horaz, der ihm eine seiner Oden widmete.

Was hat nun dieser Mann, den wir soeben vorgestellt haben, mit der Geburtsurstunde von Lugdunum zu tun? Unter allen Spezialisten für diese Epoche war sicherlich Amable Audin am besten geeignet, um uns, im Detail, zu beschreiben, in welchem Zusammenhang dieses Ereignis stattgefunden hat, im Jahre 43 vor unserer Zeitrechnung: «... Was nun den Monat und den Tag der Gründung betrifft, so war deren Bestimmung das reinste Abenteuer. Die Römer hatten von den Etruskern einen Ritus übernommen, der darin bestand, die Ost-West-Achse einer neuen Stadt, von dem Punkt am Horizont aus, an dem am Gründungstage die Sonne aufging, zu ziehen. Diese Achse, Decumanus genannt, wurde bei den Ausgrabungen in Lyon rein zufällig entdeckt. Ausgehend von komplexen Berechnungen und den erforderlichen Auslegungen, blieben als mögliche Daten der Sonnenaufgang am 8. März und am 10. Oktober.

Blieb nur noch die Wahl zwischen diesen beiden Daten. Der Briefwechsel von Cicero und andere, weniger berühmte, Texte haben ermöglicht, eine sehr präzise Chronologie für das Jahr 43 zu erstellen, eines der Schlüsseljahre in der Menschheitsgeschichte. (...) Alles begann in den Iden des März 44, durch den Dolchstoß, der Cäsar tötete. Erst nach einem Jahr des ständigen Hin und Her nahmen die Akteure des Dramas ihren Platz auf der Szene ein. Die erste Antwort kam von Marcus-Antonius, der beschloß, dem Decimus Brutus die Herrschaft über die Gallia Cisalpina (Norditalien) zu entreißen, und der die Stadt Modena belagerte, in die sich Brutus zurückgezogen hatte. Drei Armeen, unter dem

22 B.C., he was brother in arms and friend of Horace who dedicated one of his odes to him.

Having become acquainted with our man, what was his action and how did he come to found Lugdunum ? Amable Audin was the best qualified amongst the specialists on the Antique period to describe in great detail the context in which the event took place in the year 43 B.C.: « As for the month and date of its foundation, it was quite an adventure to determine them. Perpetuating a rite handed down to them by the Etruscans, the Romans traced an axis from East to West for a new town starting from a point on the horizon where the sun rose on the morning of its foundation. This axis, which they called decumanus, was found by accident during the excavations on the site of Lugdunum. Taking into account the complex calculations and the necessary corrections, it indicated the sunrises of March 8th and October 10th.

Now, how to choose between these two dates? Cicero's correspondance and other texts of minor importance have enabled us to establish a detailed chronology of the year 43 B.C. which was a key year in world history. (...) It all began on the Ides of March in 44 B.C. with the dagger's stroke that killed Caesar, but it was not until after a year of delays and excuses that the actors of the drama took their place on the stage. The first cue came from Mark-Antony who decided to rob Decimus Brutus of the government of Cisalpine Gaul (Northern Italy) and besieged Modena where Brutus had fled. Three armies under the orders of the Consuls Hirtius and Pansa and young Octavius, future Emperor Augustus came to decamp Mark-Antony, who, twice defeated, fled through the Appenines. The Senate then mobilized the three generals who governed the provinces towards which those defeated in Modena were fleeing. Lepidus in Narbonese Gaul, Plancus in Gallia Comata, Pollion in Spain.

But the fellow officers of Mark-

Les spectacles résonnent toujours dans ce **théâtre de Fourvière,** élevé sous Auguste, agrandi au II° siècle sous Hadrien.

Das Römische **Theater von Fourvière** wurde unter Kaiser Augustus errichtet und unter Hadrian, im 2. Jahrhundert, erweitert. Es ist auch heute noch ein idealer Rahmen für Oper und Theater.

Entertainment still takes place in the **theatre at Fourvière**, built under Augustus and enlarged during the 2nd century under Hadrian.

Camarades de combat de Marc-Antoine dans les armées césariennes, ces officiers n'avaient nul désir de s'opposer à lui. Ils cherchèrent d'abord à endormir le Sénat et Cicéron par des protestations de dévouement. Au moment d'agir, l'un après l'autre fraternisèrent avec Marc-Antoine, si bien que le malheureux Brutus, empêtré dans les Alpes, n'eut plus qu'à s'enfuir et bientôt à périr.

Moins dupe qu'ils ne le croyaient des protestations de ses généraux, le Sénat avait pensé les occuper en donnant l'ordre à Plancus et à Lépide de fonder une colonie sur la colline de Lugdunum. Cet ordre, puisqu'il concerne Lépide, est antérieur au 30 juin, date à laquelle celui-ci, premier à trahir, fut déclaré ennemi public. Toutefois, la réalisation en est postérieure puisque Plancus fut seul à pratiquer les rites de fondation. Or, comme l'un et l'autre étaient entrés en campagne à fin avril, et que Plancus ne rentra pas à Lugdunum avant le début d'août, il est tout à fait exclu que la colonie ait été fondée dans le premier semestre de 43. On est donc assuré que la date cherchée est bien le 10 octobre...» (1)

Savantes et édifiantes déductions qui nous établissent avec une quasi certitude la date de la fondation de Lyon et nous démontrent combien certains hommes, par leur présence dans l'histoire, ont capacité de fixer l'événement. De même Lyon fonde-t-elle la raison même de son existence, indirectement mais incontestablement, dans le déroulement d'épisodes importants de la période romaine.

Hommes de foi et de spiritualité vont démontrer mieux encore quant à la ferveur lyonnaise. Les premiers chrétiens vont y graver peut-être l'une des premières et plus belles pages jamais écrites. Et puisque nous parlons d'«écriture», nous connaissons les détails de ce qui s'inscrira comme le «martyre de l'An 177» justement grâce à un unique document, une lettre, qualifiée par Ernest Renan de «perle de la littérature chrétienne au IIᵉ siè-

Befehl der Konsuln Hirtius, Pansa und des jungen Octavius, des späteren Kaisers Augustus, vertrieben Marcus-Antonius, der, zweimal besiegt, über den Apennin entfloh. Der Senat mobilisierte daraufhin die drei Generäle, die in den Provinzen herrschten, in denen der Unterlegene von Modena Zuflucht suchen konnte: Lepidus in der Narbonensis, Plancus im südlichen Gallien, Pollionius in Spanien.

Die Offiziere, alte Kampfgefährten des Marcus-Antonius, hatten keinerlei Lust, ihm entgegenzutreten. Zunächst versuchten sie, den Senat und Cicero durch unterwürfige Proteste einzulullen. Und als es handeln hieß, verbrüderte sich einer nach dem anderen mit Marcus-Antonius, so daß dem unglücklichen Brutus, der sich in den Alpen festgefressen hatte, keine andere Wahl blieb, als zu fliehen und bald umzukommen.

Der Senat, der auf die Proteste seiner Generäle weit weniger hereingefallen war, als diese das geglaubt hatten, erdachte eine «Beschäftigungstherapie», indem er Plancus und Lepidus den Befehl erteilte, auf dem Hügel von Lugdunum eine Kolonie zu gründen. Dieser Befehl, da er auch Lepidus betraf, stammt aus der Zeit vor dem 30. Juni, denn an diesem Tage wurde dieser, der als erster verraten hatte, zum Staatsfeind erklärt. Doch muß die Gründung nach diesem Datum erfolgt sein, denn Plancus vollzog den Gründungsritus allein. Da beide aber bis Ende April auf einem Feldzug waren und Plancus vor Anfang August nicht in Lugdunum zurück war, ist es völlig ausgeschlossen, daß die Kolonie im ersten Halbjahr 43 gegründet wurde. Wir können also sicher sein, daß das gesuchte Datum wirklich der 10. Oktober ist.» (1)

Welch kluge und erbauliche Schlußfolgerungen, die mit fast absoluter Sicherheit das Datum der Gründung von Lyon erstellen und uns zeigen, wie sehr einige Menschen, durch ihre Präsenz in der Geschichte, die Fähigkeit besitzen, ein Ereignis zu

Antony in Caesar's armies had no wish to oppose themselves to him. First of all they tried to cajole the Senate and Cicero with declarations of devotion. But when it came to acting, one after the other they fraternized with Mark-Antony so that all the unfortunate Brutus could do, caught up in the Alps, was to flee and soon die.

Less taken in than they thought by the declarations of its generals, the Senate had thought of occupying them in giving Plancus and Lepidus the order to found a colony on the hill at Lugdunum. This order, since it was given to Lepidus, was before June 30th, date on which he was declared public enemy after being the first one to betray. However the realization is later since Plancus was the only one to carry out the foundation rites. But since both of them had done so by the end of April and that Plancus did not come back to Lugdunum before the beginning of August, it is impossible for the colony to have been founded during the first six months of 43. So we are sure that the date was indeed October 10th» (1)

Clever and edifying conclusions which make us virtually certain of the date on which Lyons was founded and shows us how much certain men, through their presence in history, have the capacity of fixing an event. In the same way, Lyons founds the very reason of its existence indirectly but uncontestably in the important episodes that took place under Roman rule.

Men of faith and great spirituality were yet to show even better what Lyonnais fervour was capable of. The first Christians were to engrave perhaps one of the first and finest pages ever written. And, since we are speaking of «writing», we know the details of what was to become known as the «martyrdom of the year 177», thanks precisely to a unique document, a letter, qualified by Ernest Renan as being «the pearl of Christian literature during the 2nd century»: the «Letter from the Christians staying in Vienne and Lyons» to their brothers of Asia and

Le petit théâtre de l'Odéon, centre antique de la musique, de la poésie et de la danse, construit sous le règne d'Antonin.

Das kleinere Odeon, gebaut unter Kaiser Antonius, war ein antikes Zentrum der Musen.

The little Odeon theatre, ancient music, poetry and dance centre built during the reign of Antoninus.

En 1958, alors que Lyon fêtait ses 2000 ans, cette plaque fut apposée, à la mémoire de Plancus, dans la cour de l'Hôtel de Ville.

1958, aus Anlaß der 2000 Jahrfeier der Gründung der Stadt, wurde diese Tafel, die an Munatius Plancus erinnert, im Hof des Rathauses angebracht.

In 1958, when Lyons celebrated its 2000th anniversáry, this plaque was erected in memory of Plancus in the main courtyard of the Town hall.

cle: la «Lettre des Chrétiens en séjour à Vienne et à Lyon», destinée aux frères d'Asie et de Phrygie». Elle met en scène, littéralement, les fondateurs de l'Eglise lyonnaise...

Cette lettre-témoin, elle nous sera rapportée par Eusèbe, évêque de Césarée, au Vème siècle, dans son «Histoire ecclésiastique».

Lettre d'un anonyme survivant de la communauté chrétienne lyonnaise persécutée.

En cet été 177, aux combats sanglants et aux réjouissances populaires souvent débridées, succéda, dans l'amphithéâtre des Trois Gaules, le déroulement d'autres «jeux». L'empereur Marc-Aurèle n'avait-il pas dit, pour mettre à la raison ces pratiquants d'une religion qui concurrençait la «religion officielle», le culte à l'empereur, ces phrases tragiques: «Que l'on soumette les chrétiens aux supplices, mais que, si certains renient, on les libère.» C'est ainsi que l'on procéda à Lyon...

Parmi les victimes de ces journées, l'esclave Blandine. «Trotte-menue et frêle de corps, elle avait l'âme délicate. C'était un être caressant comme le nom qu'elle portait: il était latin mais elle pouvait être d'origine smyrniote ou phrygienne...» Baptisée par l'évêque Pothin, elle côtoyait dans la communauté des frères et des soeurs de Lyon le noble Attale et Alexandre, le médecin venu de Phrygie. Tous furent arrêtés et promis aux pires traitements. Attale subit la chaise de fer brûlante, puis on l'égorgea ainsi qu'Alexandre. Blandine, attachée nue à un poteau planté sur une estrade, fut livrée aux fauves qui ne la touchèrent point. «Les frères, exprime la Lettre, croyaient apercevoir en leur soeur le Christ crucifié pour eux.»

L'évêque Pothin, un vieillard de 90 ans, fut lentement achevé. Le dernier jour, ce fut le tour de Blandine, prisonnière d'un filet jeté sur elle, livrée à un taureau furieux qui la projeta à plusieurs reprises en l'air. Certains païens, peut-être culpabilisés par tant

fixieren. In gleichem Maße gründet Lyon den Grund selbst seiner Existenz, indirekt zwar, doch unumstritten, auf den Ablauf wichtiger Episoden zur Römerzeit. Männer und Frauen des Glaubens und der Spiritualität werden noch besser aufzeigen, wie es um den Eifer und die Hingabe in Lyon bestellt ist. Die ersten Christen werden vielleicht eine der ersten und schönsten Geschichten, die je geschrieben wurden, prägen. Und da wir vom «Schreiben» sprechen: Wir kennen die Einzelheiten dessen, was in die Geschichte eingehen wird als «die Märtyrer des Jahres 177», gerade auf Grund eines einmaligen Dokumentes, eines Briefes, den Ernest Renan «die Perle der christlichen Literatur des 2. Jahrhunderts» genannt hat. Der «Brief der in Vienne und in Lyon weilenden Christen an ihre Brüder in Kleinasien und Phrygien» stellt uns die Gründer der Kirche von Lyon sehr lebendig vor Augen.

Dieser Brief wird uns von Eusebius, der im 5. Jahrhundert Bischof von Cäsarea war, in seiner «Kirchengeschichte» übermittelt.

Der Brief wurde von einem anonymen Mitglied der christlichen Gemeinde von Lyon geschrieben, der die Verfolgungen überlebte.

In diesem Sommer 177 standen, nach den blutigen Kämpfen und den, oft ausgeassenen, populären Freuden, im Amphiteater der Drei Gallien andere «Spiele» auf dem Programm. Hatte der Kaiser Marcus-Aurelius nicht, um die Anhänger einer Religion, die in Konkurrenz stand zur «offiziellen Religion», dem Kaiser-Kult, diese tragischen Sätze gesprochen: «Man unterwerfe die Christen den Folterungen, gebe aber diejenigen, die abschwören, frei.» Genau so ging man jetzt in Lyon vor.

Unter den Opfern dieser Tage ist die Sklavin Blandina. «Schmächtig und mit einem zerbrechlichen Körper, hatte sie eine empfindliche Seele. Sie war von einem zärtlichen Wesen, wie der Name, den sie trug: es war ein

Phrygia». The main actors of the drama were the founders of the church of Lyons.

This letter was made known to us by Eusebius, Bishop of Caesarea during the 5th century, in his «Ecclesiastical History».

Letter from an anonymous survivor of the persecuted Christian community of Lyons.

In summer 177, the bloody combats added to the popular and often unbridled festivities gave way to another sort of «game» in the amphiteatre of the Three Gauls. The Emperor Marcus Aurelius had made the following tragic declaration, to try and bring back to their senses the worshippers of a religions that was competing with the «Official Religion», the cult of the Emperor: «Let the Christians be tortured and put to death, but if certain abjure, let them be set free». And this is precisely how things were organized in Lyons.

Amongst one of the victims of those days was the slave Blandine. «Pitter-pattering and frail of body, she had a delicate soul. She was as gentle as the name she bore; it was latin, but she might have come from Smyrna or Phrygia» Baptized by Bishop Pothin, she moved amongst the brothers and sisters of the Lyons community, and often saw noble Attalus and Alexander, the doctor from Phrygia. All were arrested and tortured. Attalus underwent the burning iron chair before have his throat cut like Alexander. Blandine was attached naked to a post set up on a platform and delivered to the lions who did not touch her. «The brothers» states the letter, «imagined that in their sister they were seeing Christ crucified for them».

Bishop Pothin, then an old man of 90, was slowly put to death. On the last day, it was Blandine's turn. Prisoner of a net, she was thrown to a wild bull who tossed her up in the air several times. Certain pagans, maybe because they felt guilty about so much barbarism, admitted that «Never be-

L'amphithéâtre des Trois-Gaules, lieu du martyre de l'an 177.
Das Amphitheater der Drei Gallien, Stätte der Märtyrer des Jahres 177.
The Three Gauls amphitheatre where the martyrdom took place in 177 A.D.

de barbarie, reconnurent: «Vraiment, jamais dans notre pays on a vu une femme tant souffrir.»

On jeta aux bêtes les restes des corps démantelés, on en exposa quelques-uns durant plusieurs jours puis on les brûla avant de disperser les cendres jusque dans le Rhône.

Mais loin d'étouffer la religion nouvelle, la persécution de l'an 177 ne fit que la propager sur tout le sol gaulois et même au-delà. Le successeur de Pothin, choisi pour conduire l'Eglise «de Lyon et de Vienne», Irénée, devait fortifier l'action évangélisatrice. Jeune mais avisé, il imposera sa volonté constructive, aidé par de solides connaissances et de rares qualités humaines qui le placeront toujours en position de comprendre, d'écouter même ceux qui ne partageaient pas sa foi.

L'acte de dévouement suprême de ces femmes et de ces hommes rencontrera un écho considérable. Le 4 octobre 1986, à l'occasion de la venue du pape Jean-Paul II, Monseigneur Decourtray, archevêque de Lyon, évoquera le martyre de l'amphithéâtre, «ce baptistère où coula pour la première fois sur la terre de France, non l'eau du Sacrement, mais le sang de l'amour pour Jésus-Christ». Blandine, Pothin et leurs compagnons symbolisaient la «ferveur première»...

Après le déclin de l'empire, du royaume burgonde et de la domination franque à la période carolingienne, époques mal «décryptées», s'illustreront des évêques lyonnais, dignes héritiers des précurseurs-martyrs, qui rempliront de belles pages en matière d'hagiographie. Après Patiens, à qui l'on doit la réalisation d'un groupe épiscopal (Saint-Jean-Baptiste, Saint-Etienne sur la rive droite de la Saône, puis l'église Sainte-Croix), une série remarquable de prélats - eux-mêmes peut-être moins remarqués - s'inscrit dans l'histoire lyonnaise. Le lettré Viventiol, Loup, Sacerdos, qui fit construire, toujours en bord de Saône, l'église Saint-Paul... Le foyer religieux local s'enrichit aussi de l'église des Maccha-

lateinischer Name, doch konnte sie gut aus Smyrna oder Phrygien stammen». Sie war von Bischof Pothinius getauft worden, und in der Gemeinde der Brüder und Schwestern von Lyon begegnete sie dem edlen Attalus und Alexander, einem aus Phrygien stammenden Arzt. Alle wurden verhaftet, und man versprach ihnen die schrecklichste Behandlung. Attalus wurde auf einen glutrot erhitzten Eisenstuhl gesetzt und dann erdrosselt, ebenso Alexander. Blandina wurde nackt an einen, auf einem Podest errichteten, Balken gebunden und den wilden Tieren ausgesetzt. Doch rührten sie diese nicht an. Die Brüder», heißt es im Brief, «glaubten in ihrer Schwester den für sie gekreuzigten Christus zu erblicken.»

Bischof Pothinius, einen Greis von 90 Jahren, gab man langsam dem Tode preis. Am letzten Tage kam die Reihe wieder an Blandina; sie wurde, eingewickelt in ein Fischernetz, einem wilden Stier ausgeliefert, der sie mehrmals in die Luft schleuderte. Einige Heiden, bei denen, angesichts von soviel Barbarei, vielleicht Schuldgefühle aufkamen, waren voll Anerkennung: «Wahrlich, noch nie hat man in unserem Lande eine Frau so leiden sehen.»

Man warf die Reste der zerstückelten Leiber den Tieren vor, einige wurden einige Tage lang ausgestellt und dann verbrannt, die Asche anschließend in die Rhône geworfen.

Doch wurde die neue Religion damit nicht erstickt, im Gegenteil: dank der Verfolgung im Jahre 177 verbreitete sie sich in ganz Gallien und sogar darüber hinaus. Der Nachfolger von Pothinius, Irenäus, gewählt zum Hirten der Kirche von Lyon und Vienne, verstärkte die missionarische Tätigkeit. Er war noch jung, doch besonnen, und setzte sich mit seinem konstruktiven Willen durch, unterstützt durch solide Kenntnisse und seltene menschliche Qualitäten, die ihm immer erlaubten, zu verstehen und auch die zu hören, die nicht seinen Glauben teilten. Die äußerste Hingabe dieser Männer und

fore in our country had a woman been seen to suffer so much».

The remains of the dislocated bodies were thrown to the animals and some were exhibited for several days, then burned and their ashes thrown into the Rhone.

But far from eliminating the new religion, the persecution of 177 only helped to spread it throughout Gaul and even beyond its frontiers. The man chosen to succeed Pothin and lead the «Church of Lyons and Vienne», Irénée, was to fortify the evangelizing action. Young, but wise, he imposed his constructive will, assisted by a solid knowledge and rare human qualities which always placed him in a position to understand and even listen to those who did not share his faith. The act of supreme devotion of these men and women was to meet with a considerable echo. On the 4th October 1986, when Pope John Paul II visited Lyons, the Lord Bishop Mgr Decourtray spoke of the martyrdom of the amphitheatre, «the baptistery where, for the first time in France, ran, not the holy water of sacrement, but the blood shed for the love of Jesus Christ». Blandine, Pothin and their comrades symbolized the «first fervour».

After the decline of the Empire, and the Burgonde Kingdom and from the Frankish domination to Carolingian times, Bishops from Lyons were to make themselves known as worthy heirs to the martyr-precursors who were to fill many pages in the field of hagiography. After Patiens to whom we owe an episcopal group (Saint John the Baptist, Saint Etienne on the right bank of the Saône, and the church of Sainte-Croix), a remarkable series of prelates - perhaps lesser noticed - entered the history of Lyons. The literate Vivential, Loups, Sacerdos who had the church of Saint Paul's built, again on the banks of the Saône.

The church of the Maccabeans, the most ancient, later called Saint Just also added to the wealth of the local religious community together with

Le jardin archéologique de St Jean.
Der archäologische Garten neben der St Johannes-Kathedrale.
The archeological gardens of Saint-Jean.

bées, la plus ancienne, appelée ensuite Saint-Just; Saint-Irénée, où repose le «missionnaire martyrisé»; Nizier (552-573) trace en quelque sorte un chemin que suivront ses successeurs: «...Robuste, un peu maquignon, écrit Jean Comby (2), il surveille de très près l'exploitation de domaines dont certains sont loin de Lyon. Il reconstruit et embellit cette église des Saints-Apôtres qui portera son nom. Il agrandit la maison épiscopale...» Quant à l'église des Saints-Apôtres, attribuée à Eucher (VIème siècle), on y vénère les quarante-huit martyrs de l'an 177: «C'est une véritable fabrique de miracles...» Ce qui est alors l'île d'Ainay possède son abbaye, dont la fondation se perd dans la nuit des temps. L'île Barbe dissimule également les origines de son monastère, qui va devenir influent, et peut-être déjà conçu au Vème siècle par des chrétiens persécutés...

Richesses encore sous le règne de Charlemagne qui permit au chef de l'église lyonnaise d'acquérir plus de puissance. L'empereur fit nommer à la dignité épiscopale son bibliothécaire, Leidrad, d'origine bavaroise. Ce dernier ranima le culte fortement entamé par les épreuves subies lors des dernières décennies. En l'an 816, lui succèdera l'Espagnol Agobard qui continuera sur cette voie, déjouant l'opposition des croyances populaires et qui sera surnommé, grâce à l'efficacité de son verbe et de sa plume, le «premier publiciste moderne.»

Voilà qui préparait et fertilisait le terrain d'une influence et d'une puissance religieuses dont bénéficiera cette «principauté ecclésiastique» que constitue à partir du XIIème siècle le gouvernement de l'archevêque de Lyon et des trente-deux chanoines mitrés de son Chapitre. Le «Primat des Gaules», titre décerné par le pape Grégoire VII en 1079, exerce son autorité spirituelle jusqu'aux diocèses voisins d'Autun, Langres, Chalon et Mâcon. Installé au château de Pierre Scize, l'archevêque règne à la manière d'un grand seigneur féodal, reposant sur un

Frauen stieß auf ein beachtliches Echo. Am 4. Oktober 1986, aus Anlaß des Besuches von Papst Johannes-Paul II., erwähnte Monseigneur Decourtray, der Erzbischof von Lyon, das Martyrium im Amphitheater, «dieses Baptisterium, in dem zum ersten Male auf französischem Boden nicht das Wasser des Sakramentes, sondern das Blut der Liebe zu Jesus Christus floß». Blandina, Pothinius und ihre Mitbrüder stehen symbolhaft für den Eifer der ersten Stunde...

Nach dem Niedergang des Imperiums, des Burgundischen Königreiches und der fränkischen Herrschaft zur Zeit der Karolinger, Epochen, über die wir schlecht unterrichtet sind, werden sich einige Lyoner Bischöfe hervortun, würdige Erben der Märtyrer, und einige der schönsten Seiten in der lokalen Hagiographie schreiben. Auf Patiens, dem wir die Errichtung einer Dreiergruppe von Kirchen verdanken (St Johannes der Täufer, St Stephanus auf dem rechten Saôneufer und schließlich die Kirche vom Heiligen Kreuz), folgt eine beachtenswerte Reihe von Prälaten - die selber vielleicht weniger beachtet wurden - in der Geschichte Lyons. Der hoch gebildete Viventiol, dann Lupus und Sacerdos, der, immer noch am Saôneufer, die St Pauls-Kirche errichten ließ... Zu den bedeutenden religiösen Stätten gehört auch die Kirche der Macchabäer, die älteste, später St Justus genannte Kirche; St Irenäus, in der der Missionar und Märtyrer gegraben liegt; Nicasius (Nizier 552 -573) wird in gewisser Weise einen Weg vorzeichnen, den auch seine Nachfolger betreten werden: «Robust, ein wenig gerissen», schreibt Jean Comby (2), «überwacht er äußerst genau die Verwaltung der Domänen, von denen einige weit von Lyon entfernt liegen. Er baut die Kirche der Heiligen Apostel, die später seinen Namen tragen wird, neu und schöner wieder auf. Er erweitert das bischöfliche Palais.» Und in der Kirche der Heiligen Apostel, die Eucherius (6. Jhdt) zugeschrieben wird, ve-

Saint Irénée where the «martyred missionary was laid to rest; Nizier (552 - 573) somewhat traced the way that was to be followed by his successors: «Robust and someting of a horse dealer, writes Jean Comby (2), he closely supervised the exploitation of domaines, some of which were far from Lyons. He rebuilt and embellished the church of the Holy Apostles which was to bear his name. He extended the bishop's house» As for the Church of the Holy Apostles, attributed to Eucher (6th century) it is used to venerate the forty-eight martyrs of the year 177».

At that time, what was then the Isle of Ainay had its own abbey, the foudation of which is lost in the mists of time. The Isle of Barbe also held back the origins of its monastery which was to become influent and which may be dated back to the 5th century, founded by a number of persecuted Christians.

More riches were to come under the reign of Charlemagne who enabled the head of the Church in Lyons to gain more power. The Emperor had his librarian (Leidrad?), of Bavarian origin, appointed bishop. He revived the cult that had been undermined as a result of the hardships undergone during the past decades. The Spaniard Agobard succeeded to him in 816, continuing in the same way, outwitting the opposition of popular beliefs and who, due to his clever writing, was to be named the «first modern publicist».

This was the beginning and the preparation of a field of religious influence and power that were to be of benefit to the «ecclesiastic principality» formed from the early 12th century by the government of the Archbishop of Lyons and the thirty two mitred canons of his Chapter. The «Primat des Gaules», title awarded by the Pope Gregory VII in 1079, exercised his spiritual authority as far as the neighbouring dioceses of Autun, Langres, Chalon and Macon. Installed at the Chateau of Pierre Scize, the archbishop reigned much in the same way as

Le musée de la civilisation gallo-romaine,
ouvert en 1976, véritable centre des trésors
de l'antiquité lyonnaise.
**Das Musuem für galloromanische
Zivilisation** wurde 1976 eingeweiht und
birgt die unzähligen Schätze aus Lyons
antiker Vergangenheit.
The Gallo-roman and civilisation museum
opened in 1976, veritable centre of the
antique treasures of Lyon.

imposant patrimoine foncier.

En ce fief de l'Eglise, en «la cité aux trente clochers», se tournent, jusqu'au XIVème siècle, des pages décrivant de glorieuses heures. Le pape Innocent IV réunit, du 28 juin au 17 juillet 1245, les cent cinquante évêques d'un concile oecuménique qui prononce l'excommunication - la troisième depuis 1227 - et la déposition de l'empereur Frédéric II de Hohenstaufen qui l'avait contraint à quitter Rome et à trouver refuge à Lyon un an plus tôt. Décisions sans grand effet, prises dans l'enceinte de la cathédrale en pleine rénovation «gothique», puisque le pape ne se hasardera à quitter Lyon que quatre mois après la mort de celui que l'on surnommait l'«Antéchrist», en avril 1251. Durant son séjour, il couvrit la ville de bienfaits, d'indulgences et de privilèges, ce qui transforma son départ, en pleine période pascale, en un débordement d'enthousiasme populaire. Mais Rome le reprit, sans qu'il oublia pour autant les Lyonnais, jusqu'à sa mort survenue en janvier 1254.

Nouveau concile lyonnais, en 1274, organisé par Grégoire X, dit «Le Bienheureux», que l'on considère traditionnellement comme le «pape lyonnais». Bien que né à Plaisance en 1210, Theobaldo Visconti fit ses classes, conseillé par le cardinal de Palestrina, en tant que chanoine du chapitre de Saint-Jean avant de quitter Lyon pour un long périple qui le conduisit en Terre Sainte. Alors qu'il n'était pas encore prêtre, il fut élu, le 1er septembre 1271, au siège pontifical laissé vacant depuis trois ans. Parmi ses préoccupations, Grégoire X eut à coeur de calmer les esprits lyonnais sérieusement échauffés après les émeutes de 1269 qui avaient opposé citoyens et chanoines de Saint-Jean. Ayant nommé Pierre de Tarentaise à l'archevêché - un théologien formé au couvent des Jacobins qui lui succèdera de façon éphémère sous le nom d'Innocent V -, il choisira Lyon pour siège d'un concile aux objectifs ambitieux. Arrivé en novembre 1273 de Rome via le Mont Cenis, en

rehrt man die 48 Märtyrer des Jahres 177: «Sie ist die reinste Wunder-Fabrik.» Im Ainay-Viertel, damals noch einer Insel, stand eine Abtei, deren Gründung weit in die Vergangenheit zurückreicht. Auch auf der Saône-Insel Ile Barbe, im Norden der Stadt, sind noch Reste eines Klosters erhalten, das einmal sehr bedeutend gewesen ist, und vielleicht schon im 5. Jahrhundert von verfolgten Christen errichtet wurde.

Neuer Reichtum kam unter der Herrschaft von Karl dem Großen hinzu, der dem Vorsteher der Kirche von Lyon erlaubte, noch mehr an Macht zu gewinnen. Der Kaiser ließ seinen Bibliothekar, Leidrad, einen gebürtigen Bayern, zum Bischof ernennen. Dieser belebte das religiöse Leben wieder, das unter den Schicksalsschlägen der letzten Jahrzehnte schwer gelitten hatte. Sein Nachfolger im Jahre 816, Agobard, ein Spanier, setzte das Werk seines Vorgängers fort und kämpfte erfolgreich gegen den Volksirrglauben. Dank seiner starken Redegabe und spitzen Feder wurde er der «erste moderne Publizist» genannt.

Das alles bereitete den fruchtbaren Acker für den Einfluß und die Macht einer Religion vor, von der das «Kirchliche Fürstentum», das seit dem 12. Jahrhundert die Herrschaft des Lyoner Bischofs und der 32 Mitra tragenden Domherren seines Kapitels bildete, profitieren sollten. Der «Primas von Gallien», ein Titel, der 1079 von Papst Gregor VII. vergeben wurde, übte seine geistige Macht aus bis zu den benachbarten Diozösen von Autun, Mâcon, Chalon und Langres. Der Erzbischof herrschte, wie ein großer Feudalherr, von seiner Burg Pierre Scize am Saôneufer aus, über einen gewaltigen Grundbesitz.

In diesem kirchlichen Lehen, in dieser «Stadt der dreißig Kirchtürme», tuen sich bis ins 14. Jahrhundert hinein, einige der glorreichsten Seiten der Lokalgeschichte auf. Vom 28. Juni bis 17. Juli 1245 versammelt Papst Innozenz IV. 150 Bischöfe zu einem

a great feudal lord, resting on an imposing property-owning heritage.

Within the Church's fief, the «city of thirty steeples» lived peacefully until the 14th century, turning the pages of glorious hours. From 28th June to 17th July 1245, Pope Innocent IV gathered the one hundred and fifty bishops to an oecumenical council, to pronounce the execommunication, the third since 1227, and the dethronement of the Emperor Frederick II of Hohenstaufen who had obliged him to leave Rome and seek refuge in Lyons a year earlier. Decisions without great effect, taken within the precincts of the cathedral then in the midst of «gothic» renovations, since the Pope did not take the risk of leaving Lyons until April 1251, four months after the death of the man who was called the «Antechrist». During his stay, he covered the town with gifts, indugences and privileges, which transformed his departure in the midst of Easter, into an explosion of popular enthusiasm. But although Rome took him back, he never forgot Lyons until his death in January 1254.

A new Council took place in Lyons in 1274, organized by Gregory X, the «Blessed», generally considered as the «Pope of Lyons». Although he was born in Piacenza in 1210, Theobaldo Visconti, following the advice of Cardinal Palestrina, began his career as canon of Saint John's Chapter before setting out from Lyons on a long journey that was to take him to the Holy Land. On the 1st September 1271, when he was not yet a priest, he was elected Pope, position that had been vacant for three years. Amongst the problems he had to solve, Gregory X took it to heart to calm the minds of the Lyons townsfolk, seriously heated after the riots of 1269 which had opposed townsfolk and Canons of Saint-Jean. Having appointed Pierre de Tarentaise as Archbishop, he chose Lyons to be the seat of a council with ambitious objectives. Pierre de Tarentaise was a theologian trained at the

Que d'ors. Pour les Lyonnais, à Fourvière rien n'est assez beau pour la Mère de Dieu. Les mosaïques sont une des curiosités de l'édifice.

Soviel Gold! Für die Lyoner war in der Basilika von Fourvière nichts schön genug, zur Ehre der Gottesmutter. Die Mosaiken gehören zu den besonderen Sehenswürdigkeiten.

So much gold. For the Lyonnais, at Fourvière nothing is fine enough for the Mother of God. The mosaics are one of the building's typical features.

compagnie du frère franciscain Bona-venture - qui laissera son nom à l'église des Cordeliers de Lyon -, Grégoire X regroupa, dès le 7 mai 1274, quelque 500 évêques et autres prélats, ainsi d'une délégation de princes tempo-rels, du roi d'Aragon en personne aux représentants de l'empereur grec et d'un khan tartare, sans oublier une suite imposante. Sept à huit mille visi-teurs, estima-t-on, venus entendre parler de l'union des églises grecque et latine - qui demeurera une pieuse pensée -, d'une croisade qui ne partira jamais et de réformes au sein de l'église. Le concile adopta au moins une ferme décision, encore en vigueur aujour-d'hui: la constitution du conclave pour l'élection papale.

Ce «bienheureux» pape devait demeurer à Lyon jusqu'au printemps de 1275, en arbitre des virulentes que-relles ecclésiastiques locales...

Avec Clément V, les Lyonnais conserveront le souvenir d'une fas-tueuse journée de l'année 1305 où l'on assista, à Saint-Just, au sacre d'un pape. Bertrand de Got, originaire d'Aqui-taine, ex-archevêque de Bordeaux, avant de devenir un «pontife d'Avignon», connut ces heures glorieuses de la plus haute consécration en présence de Philippe le Bel en personne, qui s'inté-ressait par ailleurs beaucoup à la cité qui va lui devoir bientôt son rattache-ment au royaume de France. Riche journée en dépit d'un tragique acci-dent qui l'endeuilla: l'effondrement spectaculaire d'un mur emporta dans la mort plusieurs fidèles venus accla-mer le passage de Sa Sainteté: laquelle fut elle-même projetée au sol, sa tiare roulant à terre, perdant une de ses pierres précieuses que, dit-on, l'on ne retrouvera jamais!

Clément V laissera d'autres «souvenirs» lyonnais, liés à l'affaire des Templiers. Début mars 1312, Phi-lippe le Bel harcèle une nouvelle fois le pape: il invite fermement le Saint-Siège à jeter l'interdit sur cet ordre et à confisquer ses biens. Clément V er-gote encore. Le roi n'y tient plus. Il

ökumenischen Konzil, das - zum drit-ten Male seit 1227 - Kaiser Friedrich II. absetzt und exkommuniziert. Ein Jahr zuvor hatte der Kaiser den Papst aus Rom vertrieben und ihn gezwun-gen, in Lyon Unterschlupf zu suchen. Doch blieb auch dieser dritte Bann, ausgesprochen im Chorraum der Ka-thedrale von Lyon, die gerade im modernsten (gotischen) Stil neu er-richtet wurde, ohne weitere Folgen. Denn der Papst wagte es erst, Lyon zu verlassen, als der, den man den Ante-christ geheißen hatte, schon seit vier Monaten verstorben war, also im April 1251. Doch überhäufte er die Stadt, während seines Aufenthaltes, mit Wohltaten, Ablässen und Privilegien, so daß sein Abschied, in der Osterzeit, zu Begeisterungsstürmen in der Bevölkerung führte. Auch in Rom, das ihn wieder aufnahm, vergaß er die Lyoner, bis zu seinem Tode im Januar 1254, nicht.

1274 rief Gregor X., der Selige, zu einem erneuten Konzil nach Lyon ein. Man nennt ihn gerne den «Papst aus Lyon». Obwohl er 1210 in Piacen-za in Italien geboren wurde, ging Theobaldo Visconti, auf Anraten des Kardinals von Palestrina, für seine Studienjahre zu den Domherren des Kapitels der St Johannes-Kathedrale von Lyon. Anschließend begann er eine lange Reise, die ihn bis ins Heilige Land führte. Obwohl er noch nicht Priester war, wurde er, am 1. Septem-ber 1271, auf den Papstsitz erhoben, der seit drei Jahren leerstand. Zu den ersten Sorgen Gregors X. gehörte es, die Geister der Lyoner zu beruhigen, die noch aufgewühlt waren von den Aufständen, die 1269 die Einwohner und Domherren von St Johannes hat-ten aufeinander prallen lassen. Nach-dem er Petrus aus der Tarentaise, einen bei den Jakobinern ausgebildeten Theologen, der ihm kurzfristig als Innozenz V. nachfolgen sollte, zum Erzbischof ernannt hatte, wählte er Lyon für die Abhaltung eines Konzils, mit hoch gesteckten Zielen. Gregor verließ Rom und erreichte, über den

Dominican convent and his epheme-ral successor under the name of Inno-cent V. Gregory X arrived from Rome via Mount Cenis in November 1273, accompanied by the franciscan monk Bonaventure who was to leave his name to the church of the Cordeliers in Lyons. The Pope, as early as 7th May 1274 gathered some 500 bishops and other prelates as well as a delegation of the princes, from the King of Aragon in person to the representatives of the Greek emperor and a Tartarian Khan, to say nothing of an impressive suite. It is thought that seven to eight thousand visitors came to hear speak of the union of the Greek and Latin Churches, which remained a pious thought and of a crusade that never left and of reforms within the Church. But the council adopted at least one firm decision still in force today: the calling of a conclave to elect the Pope. The «Blessed» Pope stayed in Lyons until the Spring of 1275 acting as an arbitrator in the violent local ecclesiastic quarrels.

With Clement V, the people of Lyons were to remember the sump-tuous day in 1305 when the Pope was consecrated at Saint-Just. Bertrand de Got, born in Aquitaine, ex-Archbis-hop of Bordeaux, before becoming a «Pontiff of Avignon», was to know the finest hours of the highest consecra-tion in the presence of Philippe the Fair in person, who also showed a great deal of interest in the city and who was responsible for its return to the Kingdom of France. A rich day in spite of a tragic accident that cast a gloom over it: the spectacular collapse of a wall causing the death of a number of people who had come to see the Pope pass by. His Holiness was knoc-ked over and his tiara, rolling on the ground, lost one of its precious stones which, it is said, was never found!

Clement V was to leave other memories in Lyons, connected with the Templar affair. At the beginning of March 1312, Philippe the Fair again harassed the Pope, firmly insisting on the See laying an interdict on the Order

La célèbre Vierge dorée de Fourvière, protectrice de la cité. On aperçoit, en contrebas, les sites romains.

Die berühmte goldene Madonna von Fourvière, die Beschützerin der Stadt. Hinter ihr erblickt man die römischen Ausgrabungsstätten.

The famous golden Virgin of Fourvière, protector of the city. The roman sites can be seen below.

La ville, grâce à ses collines (ici depuis Fourvière) peut se découvrir en de larges perspectives.

Das traditionelle Lyon liegt auf zwei Hügeln, von denen sich weite Perspektiven eröffnen (hier der Blick von Fourvière).

The city, thanks to its hills (seen here from that of Fourvière) can be discovered in wide perspectives.

décide de se rendre à Lyon où se sont tenus un mois plus tôt des Etats généraux qui n'ont laissé dans l'histoire que de maigres traces, mais dont le résultat a été une entière approbation de Philippe dans sa lutte farouche contre les Templiers. Clément V, le 20 mars 1312, se trouve à Vienne; il apprend que le roi, accompagné de son frère, Charles de Valois, et de ses trois fils, vient de pénétrer dans Lyon à la tête d'une petite armée. Terrorisés, les membres de la Grande Commission du concile donnent, quarante huit heures plus tard, leur accord; l'ordre des Templiers sera dissout...

Un double événement, enfin, en 1316, pour clore ce Moyen-Age éminemment fertile en actes religieux, avec le successeur de Clément V, Jean XXII, originaire de Cahors et respectivement évêque de Fréjus, d'Avignon et de Porto, qui est élu pape dans le couvent des Jacobins puis fastueusement couronné en la cathédrale. Il sera l'un des six papes originaires des pays de langue d'oc à se succéder en Avignon...

Ce qui était réjouissances et cérémonies souvent fastueuses ne doit pas faire oublier les fêtes populaires, les manifestations de même extraction. Peuple de la Fête des Merveilles médiévale, qui voyait une «procession partir de Saint-Paul, bannière en tête, aller à Saint-Jean chercher le clergé de la cathédrale, et se rendre à Saint-Pierre de Vaise, où arrivaient, chacune de leur côté, les processions de l'île Barbe, d'Ainay, de Saint-Just; toutes alors montaient dans des bateaux et descendaient la Saône dans un ordre fixé...» Homme rendu, enfin, de par sa volonté, au peuple, l'étrange Pierre Valdo: de riche qu'il était il passa, vers 1160, comme le raconte un des premiers historiens de Lyon, Guillaume Paradin, à l'état de pauvreté en cédant ses biens aux démunis. Devenu prédicateur, il se transforma en doctrinaire au point d'être considéré comme indésirable, ainsi que ses disciples (les Vaudois ou Pauvres de Lyon), qui

Mont Cenis, Lyon im November 1273. In seiner Begleitung war auch der Franziskanerbruder Bonaventura - nach dem noch heute die ehemalige Franziskanerkirche im Herzen der Stadt benannt ist. Am 7. Mai 1274 versammelte der Papst an die 500 Bischöfe und andere Prälaten, ohne die unzähligen weltlichen Herren, darunter den König von Aragonien, Vertreter des Kaisers von Byzanz, und einen tatarischen Khan, natürlich alle mit ihrem Gefolge, zu vergessen. Sieben- bis achttausend Besucher, so schätzt man, waren gekommen, um über die Wiedervereinigung der griechischen und lateinischen Kirche zu diskutieren - die zwar beschlossen, doch nicht verwirklicht wurde - wie auch über einen Kreuzzug, der nie aufbrach, und über Reformen innerhalb der Kirche. Ein Beschluß zumindest ist noch heute in Kraft: die Einberufung einer Konklave zur Wahl des neuen Papstes.

Der selige Papst Gregor blieb noch bis ins Frühjahr 1275 in Lyon, um einige heftige lokale innerkirchliche Streitigkeiten zu schlichten.

Mit Clemens V. ist für die Lyoner besonders ein glanzvoller Tag des Jahres 1305 in Erinnerung geblieben. Am St Justus-Tag wurde Bertrand de Got zum Papst gekrönt. Er war in Aquitanien geboren und Erzbischof von Bordeaux gewesen, bevor er nun Papst in Avignon wurde. Seine große Stunde erlebte er hier, im Beisein des Königs Philippe des Schönen, der sich auch sehr stark für diese Stadt interessierte, die ihm wenig später ihren Anschluß an das französische Königreich verdankte. Es wurde ein gewaltiger Tag, trotz eines dramatischen Unfalls, der ihn ein wenig überschattete: eine Mauer stürzte beim Vorüberzug der Prozession in sich zusammen und begrub mehrere Gläubige, die gekommen waren, dem Papstm zuzujubeln, unter sich. Auch seine Heiligkeit stürzte zu Boden, die Tiara rollte in den Staub, und einer ihrer Edelsteine ging verloren. Einige suchen ihn heute noch!

Clemens V. wird auch noch

and confiscating their property. Clement V still hesitated. The King, loosing patience, decided to go to Lyons where just a month earlier the States General had been held. History hardly remembers them but the result was Philippe's full approval, in his fierce struggle against the Templars. On the 20th March 1312, Clement V was in Vienne, when he learnt that the King, together with his brother, Charles de Valois, and his three sons had just entered Lyons at the head of a small army. Terrorized, the members of the Council's Great Commission gave their agreement forty eight hours later the Order of the Templars was dissolved.

Finally, in 1316, a double event brought an end to Middle Ages, so rich in religious events. The successor of Clement V, Jean XII from Cahors and respectively Bishop of Fréjus, Avignon and Porto was elected Pope at the Dominican monastery and then sumptuously crowned in the Cathedral. He was one of the six Popes from the land of Langue d'Oc to succeed to one another in Avignon.

What was often merrymaking and sumptuous ceremonies should not make us forget the popular festivities and the events of the same kind. People of the Mediaeval «Fête des Merveilles» who would see «a procession starting out from Saint Paul's, banner first, going to Saint John's to fetch the clergy belonging to the Cathedral and then on to Saint Peter's of Vaize where, on all sides, processions were arriving from the Isles of Barbe and Ainay and from Saint-Just ; all then boarded boats and went down the Saône in a fixed order» Finally, through his own will, the strange Pierre Valdo was given back to the people: around 1160, writes one of the first historians of Lyons, Guillaume Paradin, he passed from wealth to poverty having given away all his property to the poor. Having become a preacher, he turned himself into a doctrinaire to such a point that he and his disciples (the Vaudois or Poor People of Lyons) were conside-

Ainay, l'un des hauts-lieux de l'histoire religieuse lyonnaise.

Die St Martin Basilika in Ainay, eine der bedeutenden Stätten in der Religionsgeschichte der Stadt.

Ainay, one of the most famous places in the religious history of Lyons.

subiront l'anathème et seront pourchassés...

Tous ces serviteurs de l'Eglise, à quelque niveau et de quelque manière que ce fut, ont façonné un pan entier de l'histoire lyonnaise. S'ils comptèrent parmi les artisans d'une présence lyonnaise, même aux temps les moins favorables, aux frontières du mysticisme, franchies quelquefois pour toucher à l'ésotérisme, d'autres, mus par des passions ou des convictions différentes, ont également beaucoup donné à la ville...

Si le XIVème siècle a été frappé par de redoutables fléaux (la peste, la famine et les déferlements des «Grandes Compagnies», des routiers maîtres des chemins, des villages et parfois des villes), l'embellie vécut au rythme de la prospérité bourgeoise après la conquête, nous l'avons évoqué, par cette classe de solides positions arrachées à l'archevêque. De nouvelles familles, de «nouveaux riches» ouvraient de grandes lignées:«...Il y avait alors, écrira C. F. Ménestrier, de puissants banquiers en cette ville, dont l'un était Thomas de Varey (...) Il y avait aussi en l'an 1219 un Ponce de Chaponay, qui était si puissant qu'il avait des correspondances non seulement dans tous les endroits de l'Europe, mais encore en Asie, où il était si connu (...) qu'on le nommait «Ponce de Lyon», parce qu'il était comme le chef du commerce de cette ville, et comme il conduisait de grosses sommes d'argent, les princes et les princesses sur les terres desquels il trafiquait lui donnait des gardes et saufs-conduits...»

Jacques Coeur, prêteur, armateur, affairiste du royaume, vit aussi tout le parti qu'il pouvait retirer de ce carrefour lyonnais retrouvé...

Où le gain se trouva relayé par l'esprit, représenté par ceux, d'abord, qui le firent se répandre. Trois ans après Paris, en 1473, l'échevin Barthélemy Buyer, associé à Guillaume le Roy, crée un premier atelier d'imprimeur. Héritier des méthodes des

andre «Souvenirs» in Lyon hinterlassen, im Zusammenhang mit dem Templerorden. Anfang 1312 bedrängt Philippe der Schöne den Papst erneut: der Heilige Stuhl möge diesen Orden verbieten und seine Güter einziehen. Clemens V. zögert noch, bringt Gegenargumente vor. Der König verliert die Geduld. Er beschließt, sich nach Lyon zu begeben, wo einen Monat zuvor die Generalstände getagt hatten, die nur wenig Spuren in der Geschichte hinterlassen, doch die dazu geführt haben, daß Philippe sich dem erbitterten Kampf gegen den Templerorden voll anschließt. Am 20. März 1312 befindet sich Clemens V. in Vienne, wo er erfährt, daß der König, in Begleitung seines Bruders, Karl von Valois und seiner drei Söhne, soeben, mit einer kleinen Armee, in Lyon einmarschiert ist. Die verängstigten Mitglieder der Großen Konzilskommission erteilen 48 Stunden später ihre Zustimmung: der Templerorden wird aufgelöst.

Ein doppeltes Ereignis im Jahre 1316 soll schließlich das an religiösen Ereignissen so fruchtbare Mittelalter beschließen. Der Nachfolger von Clemens V., Johannes XXII., gebürtig aus Cahor und Bischof von Fréjus, Avignon und Porto, wird im Jakobinerkloster zum Papst gewählt und dann, mit großem Pomp, in der Kathedrale gekrönt. Er ist einer der sechs Päpste aus den Landen der Langue d'Oc, die in Avignon aufeinander folgen.

Bei all diesen oft ausschweifenden Freuden und Zeremonien sollte man nicht die großen Volksfeste vergessen. Das mittelalterliche Volk des Festes der tausend Wunder (Fête des Merveilles) war Zeuge, wenn «eine Prozession, das Banner voran, St Paul verließ, um sich nach St Peter, im Vorort Vaise, zu begeben, wo auch die Prozessionen von der Insel Barbe, aus Ainay und St Justus eintrafen; alle zusammen bestiegen dann Boote und fuhren, in einer genau festgelegten Reihenfolge, die Saône hinunter.» Schließlich ist ein Mann

red as unwanted, cursed and hunted down.

All these servants of the Church, no matter what their level or the way in which they acted, fashioned a whole side of the history of Lyons, even during the most unfavourable times. Though they count amongst the architects of the presence of Lyons others, even during the least favourable times, close to the borders of mysticism, occasionally crossed to reach esoterism, others moved by different passions or beliefs also gave a great deal to the city.

If the 14th century was afflicted with widespread suffering (plague, famine and the wave of unrest caused by the «Great companies» (mercenaires, imposing their will on highways and villages and sometimes even on towns), embellishments came slowly to the rythm of bourgeois prosperity after the battle, as we previously mentioned, by that class of strong positions snatched from the archbishop. New families of «nouveau riches» founded new lines of descendants: «At that time,» wrote C.F. Mesestrier, «there were a number of powerful bankers in the town, one of whom was Thomas de Varey (...). In 1213 there was also a certain Ponce de Chapponay who was so powerful that he had correspondents not only throughout Europe, but also in Asia where he was so famous that he was called «Ponce of Lyons» because he was like the head of the trade of that town and, since he handled large sums of money, the princes and princesses on whose land he did his business gave him guards and safe conducts».

Jacques Coeur, moneylender, ship-owner and industrious businessman of the Kingdom also saw all the advantages he could draw from this new situation: where profit was relayed by spirit, represented by those who were the first to spread it. Three years after Paris, in 1473, the municipal magistrate Barthélemy Buyer, in association with Guillaume Le Roy

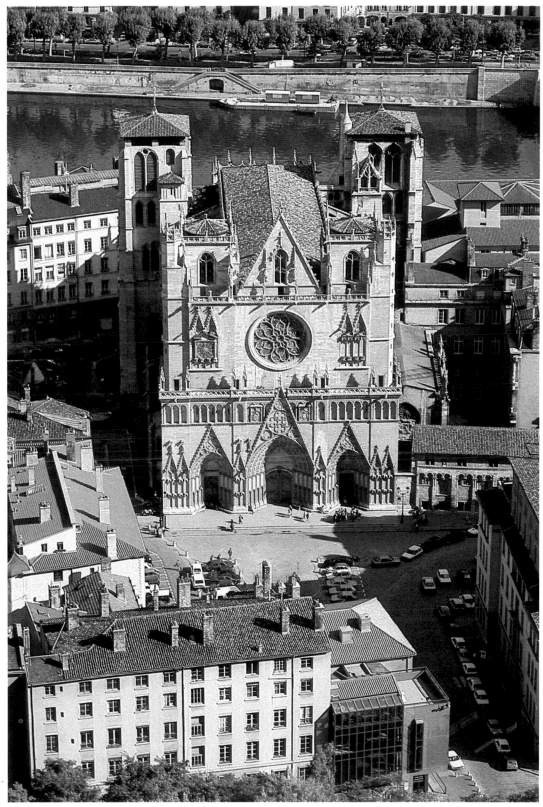

La façade de la Primatiale des Gaules St Jean, achevée en 1480. A droite se situe la Manécanterie du XI° siècle.

Die Fassade der St. Johannes Kathedrale des Primas von Gallien, beendet 1480. Rechts neben ihr die Knabensingschule, aus dem 11. Jahrhundert.

The facade of the «Primatiale des Gauls Saint-Jean», finished in 1480. To the right, is the eleventh century choir school.

imprimeurs allemands et bénéficiant de la présence de certains d'entre eux (chassés notamment de la région de Mayence lors de troubles locaux), ils sont parmi ceux qui réalisent de grandes premières. Avec la «Légende dorée», en 1476, de Jacques de Varraze, sort le premier livre en langue française. Vers la fin du XVème siècle, on dénombre à Lyon une cinquantaines d'ateliers d'imprimerie où travaillent de véritables artistes typographes. La Renaissance va alors favoriser ce développement: de Sébastien Gryphe à Jean de Tournes, sans omettre Guillaume Roville, implanté rue Mercière, «A l'Ecu de Venise», ces imprimeurs forment une famille qui se hisse à hauteur de l'élite intellectuelle.

Une élite où les noms prestigieux se bousculent. Etienne Dolet, à la vie mouvementée, hostile à l'autorité contraignante des pouvoirs de l'époque et finalement brûlé au milieu de ses livres; Clément Marot, l'impertinent valet de chambre du roi, séjourne à Lyon et provoque scandale. Enfin, proche des deux précédents, Rabelais, carabin de l'hôpital du Pont-du-Rhône (l'Hôtel-Dieu), y donne le meilleur de son talent. Dès 1532, inspiré par un livre anonyme qui court de main en main lors des foires lyonnaises, paraît «Pantagruel», signé par un certain «Alcofribas Nasier», pseudonyme anagrammatique choisi par François Rabelais. «L'Ecole lyonnaise» proprement dite est riche aussi de vocations diverses où l'érudition se traduit sous de multiples formes. Dans la demeure du seigneur de l'Antiquaille, Pierre de Sala, se retrouvent les premiers archéologues lyonnais qui plantent les jalons d'une tradition qui ne cessera de s'affirmer. Les dîners chez Pierre Bullioud, procureur du roi, tiennent lieu de véritables «salons» littéraires. Un passionné tel que Jean Grollier, trésorier général de France, fait procèder, en 1533, à la reliure du premier ouvrage de Rabelais imprimé à Lyon.

Comment enfin ne pas mentionner - ce serait hérésie - celui que

zu erwähnen, der, weil er es so wollte, ein Mann des Volkes wurde, der recht eigenartige Petrus Waldes. Er war ein reicher Kaufmann gewesen, doch wählte er, gegen 1160, wie es einer der ersten Lyoner Historiker, Guillaume Paradin, berichtet, den Stand der Armut, indem er seine Güter den Mittellosen überließ. Er wurde Prediger und dermaßen doktrinär in seinen Lehren, daß er, wie auch seine Anhänger, die Waldenser oder Armen aus Lyon, verfolgt und in den Kirchenbann gestellt wurden.

Alle diese Diener der Kirche, auf welchem Niveau und auf welche Weise auch immer, haben ein bedeutendes Kapitel zur Geschichte Lyons beigetragen. Wenn sie zu denjenigen gehören, durch die Lyon sich einen Namen gemacht hat, auch in den ungünstigsten Zeiten, an den Grenzen des Mystizismus, die manchmal überschritten wurden, hin zum Esoterismus, dann haben auch andere, angetrieben von anderen Leidenschaften und Überzeugungen, der Stadt sehr viel gegeben.

Das 14. Jahrhundert wurde zwar von schrecklichen Plagen heimgesucht (Pest, Hungersnot, Wegelagerer, die die Wege und Straßen, manchmal bis hinein in die Dörfer und Städte, unsicher machten, doch gab es auch Schönwetterperioden, im Rhythmus des Aufschwungs des Bürgertums, nachdem diese Klasse, wie wir gesehen haben, dem Erzbischof einige solide Positionen abgetrotzt hatte. Neue Familien, Neu-Reiche gründeten neue große Ahnenreihen: «Es gab damals», schreibt C.F. Ménestrier, «mächtige Bankiers in dieser Stadt, und einer von ihnen war Thomas de Varey (...) Im Jahre 1219 gab es auch einen Ponce de Chapponay, der so mächtig war, daß er Korrespondenten nicht nur in allen Städten Europas hatte, sondern auch in Asien, wo er so bekannt war (...), daß man ihn «Ponce de Lyon» nannte. Er beherrschte praktisch den Handel in dieser Stadt, und da er große Geldsummen transportierte, gaben ihm die

created the first printers' workshop. Heirs to the methods used by the German printers and benefitting from the presence of some of them (namely those chased from the Mainz region during local disturbances), they were amongst those who were to realize the first works of importance. With «Légende dorée» in 1476, Jacques de Varraze brought out the first book in the French language. By the end of the 15th century, there were around fifty printers' workshops where real artists in printing used to work. The Renaissance then encouraged its development: from Sebastien Gryphe to Jean de Tournes, without forgetting Guillaume Roville, set up in rue Mercière, «A l'Eau de Venise», these printers formed a family who raised itself to the height of an intellectual elite.

An elite where famous names rub shoulder to shoulder. Etienne Dolet, who lead an eventful life, hostile to the restrictive authority of the powers of the time and finally burnt to death amongst his books; Clément Marot, the King's impertinent valet stayed in Lyons and caused a scandal. Finally, close to the two previous named, Rabelais, the medical studet from the Hôpital du Pont-du-Rhône (Hôtel-Dieu) gave the best of his talent. By 1532, inspired by an anonymous book that was passed from hand to hand during the Fairs that took place in Lyons, «Pantagruel» appeared, signed by a certain «Alcofribas Nasier», the anagrammatic pseudonym chosen by François Rabelais.

The actual Lyonnaise School was also rich in various vocations, where erudition is shown in many forms. The first archaeologists from Lyons used to gather in the home of Pierre de Sala, a keen collector of antique objects, paving the way to a tradition that never ceased to grow. The dinners held by the King's «procureur» Pierre Bulliod were veritable literary «salons». In 1533, an enthusiast, such as Jean Grollier, Chief Treasurer of France, ordered the first work by Rabelais printed in

La loge du change, avec l'empreinte du talent de Soufflot. A l'origine c'était le point de rencontre des hommes d'affaires lyonnais.
Die ehemalige «Wechselstube» der Stadt trägt die Handschrift des Architekten Souflot. Hier gab sich früher die Lyoner Geschäftswelt ein Stelldichein.
The «Loge du Change», an example of the talent of Soufflot, was originally a meeting place for Lyonnais businessmen.

l'on qualifia de «prince de la Renaissance lyonnaise», l'auteur aux «quatre cent quarante-neuf dizains», le poète Maurice Scève. Et celle que l'on appela la «Belle Cordière», Louise Labé, dont l'oeuvre restera empreinte d'une sensualité peu commune. Karine Berriot, qui lui a consacré de remarquables pages, estime que jamais «l'amour ne fut à l'honneur en France comme au temps de Louise Labé et dans la cité de Lyon...»

Tout ne fut pas, est-il utile de le préciser, aussi limpide car l'histoire, à Lyon comme partout ailleurs, ne se nourrit pas uniquement que des fruits produits par les élites, fussent elles remarquables ou distinguées. Les secousses venues du plus profond de la ville allaient marquer celle-ci de façon indélébile. Nous avons dit quelle tonalité accompagnait le terme «Rebeyne», celle de la révolte lyonnaise. Elle eut lieu pour la première fois dans toute son ampleur le 25 avril 1529. Et la voici contée, dans le langage et le parti pris qui lui revenaient, par Claude de Rubys, auteur, en 1603, d'une «Histoire véritable de la ville de Lyon»: «...Cette furieuse émotion de la population de Lyon (...) fut qualifiée «Rubayne», ou «Roubayne», parce qu'elle se convertit en rober et piller:car en effet, cette menue populace (...) prenant son prétexte sur ce que le bichet de blé était monté (...) à trente cinq sols (...) se mit par troupes ensemble, qui, courant la ville, se ruèrent par force dans les maisons de ceux qui avaient le bruit d'être riches, et sous ombre de chercher du blé se mirent à rober, piller et saccager meubles, habits, vaisselle d'argent et tout ce qu'elles rencontraient de beau et de bon...» Des gens «sortirent les tonneaux de vin hors les caves, et les défoncèrent en pleine rue, contraignant les passants de boire, voulurent-ils ou non. Entre les principales maisons, où cette canaille exerça la fureur, poursuit Rubys, fut celle de maître Symphorien Champier, médecin du duc de Lorraine, et alors échevin de ville, sise en la place des Corde-

Prinzessinnen und Prinzen, auf deren Boden er geschäftlich unterwegs war, ihm Wachen und Geleitbriefe.»

Auch Jacques Coeur, Geldleiher, Reeder und Geschäftemacher des Königreiches verstand es, aus dem wiederentdeckten Knotenpunkt Lyon Profit zu ziehen.

Auf den Gewinn folgte der Geist, vertreten zunächst von denen, die ihm halfen, sich auszubreiten. 1473, drei Jahre nach Paris, gründete der Schöffe Barthélemy Buyer, zusammen mit Guillaume le Roy, die erste Druckerwerkstatt. Erben der Methoden der deutschen Drucker, von denen einige mit Rat und Tat zur Seite standen, nachdem sie, wegen örtlicher Streitigkeiten, aus Mainz vertrieben worden waren, gehörten sie zu denen, denen wir einige große Premieren verdanken. Mit der «Légende Dorée», der «Legenda Aurea» des Jakob de Voragine, erscheint das erste Buch in französischer Sprache. Ende des 15. Jahrhunderts gibt es in Lyon schon an die 50 Druckerwerkstätten, in denen wahre Meister der Typographie arbeiten. Die geistigen Strömungen der Renaissance begünstigen diese Entwicklung: diese Drucker, von Sebastian Gryphius bis zu Jean de Tournes, ohne natürlich Guillaume Roville, in der Rue Mercière «A l'Ecu de Venise» zu vergessen, bilden eine Familie, die zur intellektuellen Elite aufsteigt.

Eine Elite, in der sich berühmte Namen ein Stelldichein geben: Etienne Dolet, der ein sehr bewegtes Leben führte und der beengenden Macht der damals Herrschenden feindlich gegenüberstand und schließlich, inmitten seiner Bücher, verbrannt wurde; Clément Marot, der impertinente Kammerdiener des Königs, weilt in Lyon und löst einen Skandal aus. Schließlich, den beiden nahestehend, gibt Rabelais, Student der Medizin am Hospital an der Rhône-Brücke, dem heutigen Hôtel Dieu, hier sein Bestes. Schon 1532 erscheint sein «Pantagruel», inspiriert von einem anonymen Buch, den man sich während der Lyoner Messen

Lyons to be bound.

Finally, it would be a heresy not to mention the poet Maurice Scève who was named the «Prince of the Lyonnaise Renaissance» and author of «Quatre Cent Quarante-neuf Dizains». And Louise Labé, the «Belle Cordière», whose work is marked with a rare voluptuousness. Karine Berriot, who dedicated some remarkable pages to her work considers that never «was love so much honoured in France as in the time of Louise Labé and in the City of Lyons». No need to add that everything was not quite so simple, for history, in Lyons like anywhere else, does not only live off the fruit produced by an elite however remarkable and distinguished they might be. The troubles that came from deep down in the heart of the city were to leave it with an indelible mark. We have already spoken of the connotation that accompanied the term «Rebeyne» ; that of the people of Lyons. It took place for the first time to its fulle extent on 25th April 1529. Here is its story, told with the biased opinion of the author Claude de Rubys, in 1603, of a «Real History of the City of Lyons»: «This furious uprising of the population of Lyons was named «Rubayne» or «Roubayne» because it was converted into robbing and pillaging ; for indeed these poor people, taking the pretext that the price of a «bichet» of corn had increased, gathered together in groups and running about the town forced their entry into the houses of those who were known to be rich and pretending to search for corn started robbing, pillaging and smashing furniture, clothes silverware and everything they could find that fine and in good condition «People «brought barrels of wine out of the cellars and smashed them open in the middle of the street, obliging passers-by to drink, whether they wanted to or not. Amongst the main houses where all this rabble showed his anger, explained Rubys, was that of Master Symphorien Champier, doctor to the Duke of Lorraine,

L'hôtel Paterin, dit maison Henri IV, au 4 de la rue Juiverie, qui vit les ébats amoureux de François 1°.

Das Hôtel Paterin, auch Haus Heinrich IV. genannt, in der Rue Juiverie, Nr 4. Hier liebte Franz I.

The Paterin Town-House, called «Maison Henri IV, 4 rue de la Juiverie, where François 1er did his love making.

liers et celle d'un épicier, alors fort riche, nommé Imbert Gimbre, aussi échevin. Ils furent jusqu'à l'abbaye de l'Ile Barbe, qu'ils n'épargnèrent non plus que les lieux prophanes (...) Jusqu'à ce que le Gouverneur (...) auquel la ville soudoya pour un mois une compagnie de 300 hommes de pied, sous la charge du noble Antoine de Varey, sieur de Balmont, et le sieur de Boutières, que le roy y envoya, ayant mis leurs forces ensemble, firent pendre autant de ces robeurs et pillards qu'ils en rencontrèrent, et par cette danse finit la fête...»

Les gueux, en vérité les pauvres, avaient poussé leurs cris de détresse, un temps repris par les gagne-petits du commerce local, vite effrayés devant les proportions de l'émeute. Les marchands du Consulat, après avoir trouvé refuge au cloître de Saint-Jean, chez celui qui naguère figurait en rival, n'avaient-ils pas appelé au secours les forces royales ? Les «capitaines-pennon» (Lyon était divisée en trente-six pennonages ou quartiers) et leurs compagnies n'avaient point suffi à réduire cette «Grande Rebeyne». Ces clivages, les réactions suscitées par l'émeute, feront date à plus d'un titre. Si, prosaïquement, on peut voir en ces événements la tendance à la fronde du Lyonnais, certainement y discerne-t-on une perte d'indépendance.

L'aristocratie bourgeoise avait trouvé son salut auprès du roi qui, véritable gagnant de l'affaire, songea à tirer profit de l'appui consenti. Henri II, en 1547, mena à bien une réforme de la constitution municipale, réduisant à quatre le nombre des échevins avec un Consulat dirigé par un «prévôt des marchands» désigné à sa convenance. Cela n'était qu'un premier pas car entre temps survinrent les guerres de religion...

Celles-ci connurent leur point culminant lorsqu'en avril 1562, les Réformés s'emparèrent de Lyon. La ville, proche de Genève, éminent lieu de passage, fait pour la confluence des idées, nourrissait en son sein une po-

von Hand zu Hand reicht, verfaßt von einem gewissen Alcofribas Nasier, dem von François Rabelais gewählten Anagramm und Pseudonym. Die eigentliche Lyoner Schule ist reich an Berufungen aller Art, die ihr tiefes Wissen in den verschiedensten Formen zum Ausdruck bringt. Im Hause des Herrn der Antiquaille (heute ein Krankenhaus), Pierre de Sala, kommen die ersten Archäologen Lyons zusammen und legen den Grundstock einer Tradition, die auch heute noch mehr als lebendig ist. Die Diners bei Pierre Bulliod, dem königlichen Prokurator, entwickeln sich zu wahren literarischen Salons. Ein Fanatiker, wie Jean Grollier, Generalschatzmeister der Nation, läßt 1533 das erste in Lyon gedruckte Werk von Rabelais binden.

Und wie könnte man nicht den erwähnen - ohne Verat zu begehen - den man den «Prinzen der Lyoner Renaissance» genannt hat, den Dichter der 449 Zehnzeiler, Maurice Scève. Oder auch die «Schöne Seilerin», Louise Labé, deren Werk sich durch eine ungewöhnliche Sinnlichkeit auszeichnet. Karine Berriot, die beachtliche Seiten über diese Dichterin geschrieben hat, ist der Meinung, daß niemals «die Liebe in Frankreich so sehr zu Ehren gekommen ist, wie zur Zeit einer Louise Labé und in der Stadt Lyon.»

Doch war nicht alles, ist es nötig, das zu betonen, so leuchtend klar und schön, denn die Geschichte, in Lyon wie überall, ernährt sich nicht nur von den Früchten, die die Elite hervorbringt, so beachtenswert und ausgezeichnet sie auch sein mögen. Die Erschütterungen, die aus dem Innersten der Stadt herausbrachen, sollten diese auf immer unauslöschlich prägen. Wir haben schon gesagt, was es mit dem Wort «Rebeyne» auf sich hat, Revolte auf Lyonerisch. Sie brach zum ersten Male in ihrer ganzen Macht am 25. April 1529 aus. Und so schildert sie, in der Sprache und mit der Voreingenommenheit, die ihm eigen war, Claude Rubys, Autor einer 1603 ers-

then alderman of the town, located Place des Cordeliers and that of a very rich grocer, Imbert Gimbre, who was also an alderman. They went as far as the Abbey on the Ile Barbe which they did not spare any more than the profane places (...) until the Governor (...) from whom the town borrowed a regiment of 300 soldiers of foot under the command of the noble Antoine de Varey, Lord of Balmont and the Lord of Boutières, whom the King sent there, having united their forces. They had hanged as many robbers and pillagers as they met, and the festivities finished with this dance».

The «gueux», in fact the poor people had thus cried out their distress, taken up for a while by the small earners of local commerce, soon frightened by the proportions of the riot. Had the Consulate merchants, after having taken refuge in the Cloisters of Saint-John's, with their former rivals, not called on the Royal forces? The «Capitaines-pennon» (Lyons was divided into thirty six pennonages or districts) and their compagnies had not been able to put down this «Grande Rebeyne». The splits, the reactions caused by the riot were to make date for more than one reason. If plainly speaking it is possible to see in these events the rebellious tendency of the Lyons townsfolk, we can certainly detect a loss of independence.

The bourgeois aristocracy had found its salvation in the King, the real winner in the matter, and thought of taking advantage from the support granted. Henry II reformed the towns constitution in 1547, reducing to four the number of aldermen with a consulate presided over by a «Merchants provost» appointed at his choice. This was only a first step, for in between occurred the wars of religion.

These reached their height when the Reformers took over Lyons in April 1562: the town, an eminent place of passage, near Geneva, made for the confluence of ideas, kept within its bosom a population that was won over

L'apothicairerie de la Charité (17° siècle) en haut et l'apothicairerie de l'Hôtel-Dieu (1683). Musée des Hospices civils de Lyon.
Die Apotheke in der Charité, 17. Jhdt. (oben) und die Apotheke des Hôtel-Dieu (1683), im Museum des Städtischen Hospizes von Lyon.
At the top, **the Charity apothecary's shop** (17th Century) and the Hôtel-Dieu's apotherary's shop (1383). Musée des Hospices de Lyon.

pulation acquise aux idées protestantes.«En décembre 1561, J. Guéraud (précieux chroniqueur local) estimait à 3 500 ou 4 000 personnes ceux qui participent au culte de la Guillotière. Faut-il en conclure qu'un tiers peut-être de la population s'était converti à la nouvelle doctrine ?» (3) Toujours est-il que Lyon eut ensuite à pâtir de la venue du baron des Adrets, de sinistre réputation, qui laissa sur quelques édifices les stigmates d'une violence accrue. En un terrible retour des choses, la contre-Réforme provoquera une Saint-Barthélemy entre Rhône et Saône, appelée «Vêpres lyonnaises», qui répandirent, le 31 août 1572, en quantité le sang des protestants. Il fallut l'entrée triomphale d'Henri IV à Lyon, le 4 septembre 1594, pour ramener le calme. Le «Vert Galant» devait d'ailleurs s'unir en la primatiale Saint-Jean, le siège de l'archevêque, avec Marie de Médicis, en l'an 1600...

Cette longue période des «troubles» passée, Lyon, aux XVIIème et XVIIIème siècles, s'intégrait au bloc monolithique de la «monarchie administrative». Rien n'était plus significatif que cette «Généralité» (englobant le Lyonnais, le Forez et le Beaujolais) dirigée par un gouverneur dont le siège se trouvait en la ville. C'est lui qui, théoriquement, présidait dès lors aux destinées de la région, avec une autorité assez large puisqu'elle était dépourvue de Parlement, qu'elle ne figurera jamais sur la liste des «pays d'Etats», offrant de la sorte de meilleures prises à l'exercice du pouvoir royal. Un pouvoir délégué en vérité à un autre personnage nommé «Intendant», illustration de l'absolutisme reposant sur ses «grands commis» qui devinrent, selon l'expression de Lavisse, «le roi présent dans la Province». On reconnaît généralement en Maximilien Grangier le premier et véritable Intendant du Lyonnais (1625). Quant aux fonctions de Gouverneur, c'est une famille de belle noblesse, celle des Villeroy, qui en assumera la charge, héréditaire-

chienenen «Wahren Geschichte der Stadt Lyon»: «Dieser wilde Gefühlsausbruch der Lyoner Bevölkerung (...) wurde «Rubayne» oder auch noch «Raubayne» geheißen, denn sie schlug um in Rauben und Plündern: denn in der Tat, rottete sich das niedrige Volk (...) unter dem Vorwande, das Malter Weizen sei (...) auf dreißig Heller gestiegen, in Horden zusammen, welche, durch die Stadt eilend, gewaltig die Häuser derer erstürmten, von denen es hieße sie seien reich, unter dem dumpfen Vorwande, sie suchten Weizen, anfingen zu rauben, zu plündern, Möbel, Kleidung, Silbergeschirr und alles, was ihnen an Schönem und Gutem begegnete, zu zerstören... Einige «holten die Weinwässer aus den Kellern hervor, erbrachen sie mitten auf der Straße und zwangen die Vorübergehenden zum Trinken, ob die dem so wollten oder nicht. Unter den bedeutenden Häusern, an denen diese Kanaillen ihre Wut ausließen», fährt Rubys fort, «waren das von Meister Symphorien Champier, dem Medizinarius des Grafen von Lothringen, damalig Schöffe der Stadt, am Place des Cordeliers gelegen, und das eines Krämers, dermalen sehr reich, mit Namen Imbert Gimbre, auch er ein Schöffe. Sie kamen bis zur Insel Barbe, die sie auch nicht weniger verschoneten als die prophanen Stätten (...) Bis daß der Gouverneur (...), dem die Stadt für einen Monat eine Kompanie von 300 Mann zu Fuß verdingte, unter der Führung des Edlen Antoine de Varey, Herrn von Balmont, und des Herren de Boutières, den der König daselbst sandte, nach Zusammenlegung ihrer Kräfte, gleich so viele Räuber und Plünderer gefangen nehmen ließen als sie deren trafan, und dieser Tanz machte dem Fest ein Ende».

Die Bettler, also in Wirklichkeit die Armen, hatten einen Hilfeschrei ausgestoßen, der eine Zeit lang übernommen wurde von den Kleinverdienern unter den Händlern des Ortes, die jedoch schnell abgeschreckt wurden von den Ausmaßen, die der

to Protestant ideas. «In December 1561, J. Guéraud (valuable local chronicler) estimated that between 3500 and 4500 people took part in the Guillotière cult. Should we therefore conclude that maybe a third of the population had been converted to the new doctrine ?» (3) Anyway, Lyons was then to suffer from the arrival of Baron des Adrets, of such fearful memory, who left on some of the buildings stigmates of an exceptional violence. As a terrible return to the previous situation, the Counter-Reform caused a massacre, like the Saint-Barthélemy, between Rhône and Saône, called «Vêpres Lyonnaises» which on 31st August 1572 shed Protestant blood. It needed the triumphant entry of Henry IV in Lyons on the 4th September 1594 to restore the calm. Moreover, in 1600, the «Vert Galant» (Gray Spark) was to wed Marie Medicis at primatial Church of Saint John's, see of the archbishop.

After this long period of trouble, Lyons, during the 17th and 18th centuries, became an integral part of the monolithic block of the «administrative Monarchy». Nothing was more significant than this «Generality» (including the regions of Lyons, Forez and Beaujolais), administered by a Governor whose seat was to be found within the city. Theoretically, he presided over the destiny of the region with a widespread authority since there was no Parlement and it never was on the list of the «States countries», thus offering a better grip for the exercise of royal power. Power which was in fact delegated to antother person called «Intendant», illustration of absolutism resting on its «Great Servants» who, as Lavisse explained, became «the King present in his Provinces». Maximilien Grangier is generally considered as being the first true Intendant in Lyons (1625). As for the function of Governor, it was a noble family, the Villeroys*, who hereditarily assumed the office. Until its final representative, Gabriel Louis François de Neuville, Duke of Villeroy, more often in

La tour rose ou maison du Crible (XVII°) au 16 de la rue du Boeuf.

Der sog. Rosa Turm am Maison du Crible (17. Jhdt.) in der Rue du Boeuf, Nr 16.

The pink tower or Crible House (17th Century), 16 rue du Boeuf.

ment. Jusqu'à ce que son dernier représentant, Gabriel-Louis-François de Neuville, duc de Villeroy, plus fréquemment présent en sa demeure du faubourg Saint-Germain qu'en la ville de Lyon, ne finisse sa carrière avec la Révolution puis victime, en avril 1794, de la Terreur parisienne...

Des collines de la Croix-Rousse et de Fourvière, de la presqu'île aux faubourgs de Vaise et de la Guillotière, 150 000 Lyonnais vivent à la veille de la Révolution. L'été de 89 présente un caractère d'agitation que la «Grande Peur», cette psychose collective qui tient autant de la rumeur amplifiée que de la réalité d'un complot, vient renforcer. Mais la ville tourne ses griefs contre l'octroi, dont elle force les barrières, et les bureaux où les droits d'entrées sont perçus sur les marchandises: la colère se manifeste contre ce carcan qui impose durement la population. Face à cette hostilité, que ne canalisent guère les représentants du Tiers état lyonnais, la vieille garde d'ancien régime tente de faire front: pour le prévôt, Tolozan de Montfort, qui s'est plaint à Necker de ce que, «dans ce moment où l'esprit d'innovation et de parti a exalté toutes les têtes, les intérêts de la ville ont été négligés», la solution apparaît bientôt dans une fuite vaguement camouflée. Seul le premier échevin, Jacques Imbert-Colomès, habile négociant, à l'aise dans les intrigues et futur espion des émigrés, tente de résister à la pression.

De Paris, où tout semble se jouer, on suit, puis on applique les réformes. L'Assemblée Constituante transforme les structures administratives et crée les départements. La «Généralité» de Lyon devient le département de Rhône-et-Loire. Un corps municipal remplace le vieux Consulat. A sa tête est désigné celui qui devient le premier maire de Lyon: Palerne de Savy. Jusque là, rien ne distingue particulièrement la ville. Le 3O mai 1790, la Fête de la Fédération qui se déroule dans la plaine des Brotteaux en présence d'une foule immense voit 50 000

Aufstand annahm. Und hatten die Händler des Konsulats, die eine Zeit lang Unterschlupf gefunden hatten im Kreuzgang der Kathedrale, also gerade bei dem, der einst ihr Rivale gewesen war, nicht die königlichen Truppen um Beistand gebeten? Die Kapitäne der «Pennons» genannten Stadtviertel, es gab deren 36 in Lyon, hatten nicht genügt, um diese «Grande Rebeyne» niederzuschlagen. Diese Kluft und die vom Aufstand verursachten Reaktionen sollten, im wahrsten Sinne des Wortes, Geschichte machen. Und wenn man in diesen Ereignissen, ein wenig prosaisch, die Neigung des Lyoners zum Widerspruch sehen kann, so versteckt sich dahinter mit Sicherheit auch ein Verlust an Unabhängigkeit.

Die bürgerliche Aristokratie hatte ihr Heil beim König gefunden, der der eigentliche Gewinner in dieser Angelegenheit war und aus dieser Unterstützung nun Gewinn zu schlagen suchte. 1547 beendete Heinrich II. erfolgreich eine Reform der städtischen Verwaltung, und reduzierte die Anzahl der Schöffen auf vier, mit einem Konsulat, das von einer Art Oberbürgermeister, dem «Prévôt des Marchands» geleitet wurde, den er nach Gutdünken ernannte. Doch war dies nur ein erster Schritt, denn in der Zwischenzeit waren die Religionskriege ausgebrochen...

Diese erreichten ihren Höhepunkt, als im April 1562 die Reformierten Lyon einnahmen. Die Stadt, nicht weit von Genf entfernt, ein bedeutender Durchgangsort, wie geschaffen für den Zusammenfluß der Ideen, barg in ihren Mauern eine Bevölkerung, die den protestantischen Ideen offen gegenüberstand. «Im Dezember 1561» schätzt J. Guéraud, ein wertvoller heimischer Augenzeuge und Chronist, «den Anteil derer, die dem Kult von la Guillotière (einem protestantisch gewordenen Stadtviertel) huldigten, auf 3500 bis 4000. Soll man daraus schließen, daß vielleicht ein Drittel der Bevölkerung zum neuen Glauben übergetreten war?»

his residence of the Faubourg Saint-Germain than in the City of Lyons, ended his career with the Revolution. In April 1794, he died, victim of the Parisian «Terreur».

On the eve of the Revolution, 150 000 people lived in Lyons between the hills of Crois-Rousse and Fourvière, and from the peninsula to the outlying districts of Vaise and La Guillotière.

The Summer of 1789 was an agitated period that the «Grand Peur», collective psychosis which was as much an amplified rumour as the reality of a plot, reinforced. But the city turned its grievances against the toll system, breaking open the barriers and the offices where the entrance fees were levied on goods: anger rose against this yoke that taxed the population so hardly. Faced with such hostility that the representatives of the Tiers Etat in Lyons were scarcely able to control, the old guard of the Ancient Regime tried to resist: for the Provost, Tolozan de Montfort who complained to Necker that «in this time when an innovating and parti spirit has exalted all, the town's interests have been forgotten,» the solution soon appeared in a sort of camouflaged flight. The first alderman alone, Jacques Imbert-Colomès, clever merchant, quite at home in the intrigues and future spy for the emigrants, attempted to resist the pressure. From Paris, where everything seemed to be happening, the reforms were followed and then applied. The Constituent Assembly transformed the administrative structures and created the «departements» (administrative subdivisions). The «Généralité» of Lyons became the Département of Rhône and Loire. A municipal body replaced the old consulate. Palerne de Savy, the future first mayor of Lyons, was appointed at its head. Until then, nothing particular distinguished the town. On 30th May 1790, the Fête de la Fédération which took place in the Plaine des Brotteaux, in the presence of a huge crowd saw

La façade de l'hôtel de ville et la fontaine Bartholdi, place des Terreaux.
Die Fassade des Rathauses und der Bartholdi-Brunnen, auf dem Place des Terreaux.
The facade of the Town Hall and the Bartholdi Fountain, Place des Terreaux.

Après bien des vicissitudes dues à la Révolution, la statue équestre du Roi-Soleil (oeuvre de Lemot) revint place Bellecour en 1825.

Die Statue des Sonnenkönigs (ein Werk von Lemot) kam 1825, nach langem Hin und Her, als Folge der Revolution, wieder auf den Place Bellecour zurück.

After many vicissitudes due to the Revolution, the equestrian statue of the Sun-King (by Lemot) returned to Place Bellecour in 1825.

gardes nationaux et les délégués venus de 390 communes de France prêter serment de fidélité à la Nation. Dans le «Courrier de Lyon», Madame Roland immortalise l'événement. Qui est-elle?

Sa rencontre avec Jean-Marie Roland de la Platière, de vingt ans son aîné, a tracé une partie de son destin. Celle qui est devenue Madame Roland vit avec son époux, inspecteur des Manufactures à Lyon, en retrait de la ville, vers Villefranche-sur-Saône, au Clos de la Platière, qui renferme, semble-t-il, tous les délices de la terre. Aux premiers grondements de la Révolution commencent les incursions de Roland dans le domaine politique. Nommé par la municipalité lyonnaise représentant à la Constituante, se liant rapidement à Paris avec Brissot et ses amis, ce Girondin de Lyon devient, en mars 1792, ministre de l'Intérieur. Dans son sillage, mais influente, son épouse le seconde étroitement. Sur Paris, elle ouvre les portes de son salon aux ténors de la Révolution, particulièrement aux Girondins dont elle devient l'égérie. Elle en mourra, sur l'échafaud, avec ce cri qu'on lui prêtera à son ultime minute de vie: «O Liberté, que de crimes on commet en ton nom!».

A Lyon, pendant ce temps, alors qu'échoue un activisme royaliste porté au complot, Louis Vitet, proche de Roland, a succédé à de Savy à la mairie. La Constitution civile du clergé a entraîné la nomination, en mars 1791, d'un évêque constitutionnel, l'abbé Lamourette, ex-conseiller de Mirabeau, dont le nom sera d'autant plus chansonné qu'il se heurte progressivement à l'hostilité des prêtres réfractaires. L'archevêque d'ancien régime, de Marbeuf, qui a choisi d'émigrer, passe pour agiter de loin la fraction qui refuse de prêter serment. A Saint-Nizier, l'abbé Linsolas, très actif, dédiera sa prière «au roi, à la famille royale, à l'évêque et l'archevêque du diocèse.» S'ajoute à ces clivages, l'activité jacobine, menée dans certaines sections par un homme dont Michelet a tracé ce portrait: «Ce prophète, ce bouffon,

(3) Wie dem auch sei, Lyon mußte später unter dem berühmt berüchtigten Baron des Adrets schwer leiden, dessen Spuren einer brutalen Gewalt noch heute an einigen Gebäuden sichtbar sind. Als schreckliche Antwort darauf kam es unter der Gegenreformation zur Bartholomäusnacht zwischen Rhône und Saône, «Lyoner Vesper» genannt, in der am 31. August 1572 unzählige Protestanten ihr Blut vergossen. Erst der triumphale Einzug von Heinrich IV., am 4. September 1594, beruhigte die erhitzten Geister. Der junge Greis sollte sich übrigens im Jahre 1600, in der Kathedrale des Primas von Gallien, mit Maria von Médicis vermählen.

Am Ende dieser langen Zeit voller Unruhen wurde Lyon, im 17. und 18. Jahrhundert, voll in die monolithische administrative Monarchie integriert. Nichts war dafür bezeichnender als die «Généralité» genannte Verwaltungseinheit, die das Lyonnais, das Beaujolais und den Forez umfaßte und von einem Gouverneur, mit Sitz in der Stadt, verwaltet wurde. Er stand, zumindest theoretisch, dem Schicksal der Region vor, mit einer recht weitgehenden Autorität, denn es gab kein Parlament, die Region gehörte nicht zu den «Staatsländern» und bot so eine bessere Eingriffsbasis für das Ausüben der königlichen Macht. Eine Macht, die de facto an eine andere Person, den Intendanten abgetreten wurde, sichtbares Zeichen des Absolutismus, der sich auf seine «großen Handlanger» stützte, die, wie Lavisse es richtig formuliert hat, «zum in der Provinz anwesenden König» wurden. Allgemein wird Maximilien Grangier als der erste echte Intendant angesehen (1625). Und die Aufgaben des Gouverneurs gingen, in Erbfolge, auf eine hochadelige Familie über, die Familie Villeroy. Und dies, bis ihr letzter Vertreter, Gabriel-Louis-François de Neuville, Graf von Villeroy, den man öfter in seiner Villa im Pariser Vorort Saint-Germain als in Lyon antraf, seine Karriere, wie die

some 150 000 national guards and the delegates coming from some 390 communes of France swore allegiance to the Nation. In the «Courrier de Lyon», Mme Roland reports the event. Who was she?

Her meeting with Jean-Marie Roland de la Platière, who was twenty years older than herself, marked her destiny. She became Madame Roland and lived with her husband, Inspector of the Manufactures in Lyon, outside the city, near Villefranche-sur-Saône at the Clos de la Platière, which, it would seem, retained all the pleasures of the earth. As the clouds began to gather announcing the Revolution, Roland began his career in politics. Appointed representative at the Constituent Assembly by the municipality of Lyons, he soon struck up a friendship with Brissot and his friends in Paris where, in March 1792, this Girondin from Lyons became Minister of the Interior. In his wake, but nevertheless influent, Madame Roland seconded him very efficiently. In Paris, she opened the doors of her «salon» to the tenors of the revolution, especially the Girondins to whom she became the Egeria. As a result, she died on the scaffold, reported to have cried at the last minute of her life «O liberty! O Liberty! What crimes are committed in thy name!

During this time, in Lyons, while the subversive plans of active royalists met with failure, Louis Vitet, a close friend of Roland succeeded Savy at the Townhall. In March 1791, the Civil Constitution of the Clergy brought about the appointment of a constitutional Bishop, father Lamourette, ex-advisor to Mirabeau, the name of whom was to be increasingly lampooned as he came up progressively against the hostility of the refractory priests. De Marboeuf, the Archbishop under the old regime (before 1789) who had chosen to emigrate, is known for having caused a certain amount of agitation from a distance amongst the fraction that refused to take the oath allegiance. In

La crypte de la Chapelle Expiatoire, rue de Créqui, rappelle les conséquences tragiques du défi lyonnais à la Convention, en 1793.

Die Krypta der Sühnekapelle in der Rue Créqui erinnert an die tragischen Folgen der konvention, der Lyon 1793 die Stirn bot.

The crypt of the Chapelle Expiatoire, rue Créqui, reminds us of the tragic consequences of Lyons' defiance to the Convention in 1793.

n'est pas un homme. C'est une ville, un monde souffrant;c'est la plainte furieuse de Lyon». Il se nomme Marie-Joseph Chalier...

Mais Lyon reste à l'écoute de Paris. L'écho des événements du 10 août 1792 s'y répercute et la ville va connaître ses massacres de septembre. A la forteresse Pierre-Scize - la Bastille lyonnaise-une foule en furie se rue sur les prisonniers du régiment de cavalerie «Royal-Pologne», accusés de tous les maux, et les massacre littéralement. 1793 suscitera l'escalade terrible. Alors qu'en janvier, sur 14 députés du département, 8 ont voté la détention du roi et 6 décrété sa mort, après l'exécution de Capet l'ombre inquiétante de la guillotine se profile sur la place des Terreaux. Nivière-Chol, un girondin, successeur de Vitet à la mairie, doit céder la place le 8 mars 1793 au jacobin Bertrand, ami de Chalier. Ce dernier a haussé le ton et n'hésite pas à proclamer «que les sans-culottes extermineront les tyrans, aristocrates, feuillantins, modérés, égoïstes, agioteurs, usuriers et la caste sacerdotale fanatique, ennemie irascible de la liberté»...

Ses adversaires ont cependant conservé une marge de manoeuvre et, soutenus par la Garde nationale et le Conseil du département, Chalier, le 29 mai, est déposé et arrêté. Le 16 juillet sa tête tombera de la guillotine. Dès lors, aux yeux de la Convention, où les Jacobins ont écarté les Girondins, Lyon s'est transformée en place royaliste. Elle sera sommée de rentrer dans le rang. Elle ne le fera pas. Le 8 août 1793, l'armée des Alpes dirigée par Kellermann et Dubois-Crancé assiège la ville dont les défenses sont tenues par les forces commandées par un ancien officier de l'armée royale, le comte de Précy, seul homme capable de tenir, à vrai dire, un rôle de chef militaire. Le 9 octobre, après une lutte sans merci, Lyon dut capituler. Trois jours après la Convention rendait ce décret célèbre et lourd de conséquence pour l'histoire lyonnaise, non seule-

Französische Revolution, im April 1794, unter der Pariser Schreckensherrschaft beendete.

Am Vorabend der Revolution leben in Lyon, auf den Hügeln von Fourvière und des Croix-Rousse, auf der Halbinsel und in den Vororten von Vaise und la Guillotière, 150000 Einwohner. Der Sommer 89 zeichnet sich aus durch innere Unruhen, die der «Große Schrecken», diese Massenpsychose, die sich ebenso aus der immer heftiger brodelnden Gerüchteküche wie aus einer echten Verschwörung ernährt, noch verstärkt. Doch die Vorwürfe der Stadt erheben sich gegen die Zoll- und Akzisenadministration, deren Büros gestürmt werden; die Wut richtet sich gegen diese Zwangsjacke, die die Bevölkerung schwer mit Abgaben belastet. Die Alte Garde des Ancien Régime versucht, dieser Feindseligkeit, die die Vertreter des Dritten Standes in Lyon nicht recht in den Griff bekommen, die Stirn zu bieten: für den Oberbürgermeister, Tolozan de Montfort, der sich bei Necker beschwert hat, daß «in diesem Augenblick, in dem der Geist der Erfindung und der Partei alle Köpfe erhitzt hat, die Interessen der Stadt vernachlässigt werden», erscheint die Lösung recht bald in einer kaum verhüllten Flucht zu liegen. Nur der erste Schöffe, Jacques Imbert-Colomès, ein gewiefter Händler, im Intrigenspiel voll in seinem Element und später Spion der Emigranten, versucht, dem Druck zu widerstehen. Man folgt Paris, wo sich alles zu entscheiden scheint, und wendet dann die Reformen an. Die Konstituante verändert die Verwaltungsstrukturen und schafft die Départements. Aus der «Généralité» von Lyon wird das Département Rhône-et-Loire. Ein städtisches Corps tritt an die Stelle des alten Konsulats. An seine Spitze wird Palerne de Savy berufen, der erste Bürgermeister von Lyon. Bis dahin unterscheidet eigentlich nichts die alte von der neuen Stadt. Am 30. Mai 1790 findet das Föderations-Fest auf den Weiden des heutigen Brotteaux-Vier-

Saint-Nizier, the active Father Linsolas dedicated his prayer to "the King», the royal family, the bishop and the archbischop of the diocese». To this gulf should be added the Jacobine activity carried out in certain sectors by a man whom Michelet described as: «This prophet, this buffoon is not a man. It is a town, a suffering world: the terrible complainte of Lyons». His name was Marie-Joseph Chalier... But Lyons followed in the footsteps of Paris. The echo of the events of 10th August 1792 had its effects and the city was to have its massacres in September. At the Pierre Scize Fortress, Lyons' bastille, an angry crowd attacked the prisoners of the «Royal-Poland» regiment of cavalry, accused of being responsible for all the troubles and literally massacred them. 1793 was to see an important increase in violence. Whereas in January out of 14 of the department's representatives 8 voted for the Kings' detention and 6 decreted his death after the execution of Louis Capet, the fearsome profile of the guillotine cast its shadow over Place des Terreaux. Nivière-Chol, a Girondin, successor to Vitet at the Townall had to hand over his charge on 8th March 1793 to the Jacobine Bertrand, a friend of Chalier. The latter changed the tune and did not hesitate in proclaiming «that sans-culottes will exterminate tyrants, aristocrates, feuillantines, moderates, egoists speculatores, usurers and the fanatic sacerdotal cast, irascible enemy of liberty».

However, his enemies managed to preserve a margin in which they could operate and backed by the National Guard and the Département Council, Chalier was removed from office and arrested on the 29th May. On the16th July, his head fell from the guillotine. From then on, once the Jacobines had dismissed the Girondins, the Convention considered Lyons as having rallied to the royalists cause. She was requested to return to the ranks. She refused. On 8th August 1793, the Alpine Army commanded by

Le musée historique de la ville de Lyon occupe l'hôtel de Gadagne dans le quartier St-Jean.

Das Historische Museum der Stadt Lyon befindet sich im Hôtel Gadagne, in der Altstadt.

The historical museum of the city of Lyons occupies the Gadagne Town House in the district of St Jean.

ment au niveau de la répression féroce qu'il annonçait: «La ville de Lyon sera détruite (...) La réunion des maisons conservées portera désormais le nom de «Ville-Affranchie». Il sera élevé sur les ruines de Lyon une colonne qui attestera à la postérité les crimes et la punition des royalistes de cette ville avec cette inscription: «Lyon fit la guerre à la liberté. Lyon n'est plus.»

Lyon sera encore, malgré tout et en dépit des morts laissés par les envoyés de la Convention parmi lesquels, aux côtés de Fouché, s'inscrira en bonne place Jean-Marie Collot d'Herbois («ce comédien de profession» disait ironiquement de lui Mme Roland)qui assouvissait, peut-être, une revanche sur le peuple lyonnais... qui l'avait naguère hué sur les planches. Mais le 9 Thermidor et la chute de Robespierre firent se retourner la situation et la Terreur changea d'acteurs et de couleur. La ville n'y gagna guère et l'on comprend qu'elle accueillit, en décembre 1797, le nom de celui qui se couvrait de gloire en Italie. Pour Bonaparte l'on fit frapper cette médaille avec cette mention: «Il ne combattit que pour la paix et les droitsde l'homme». Ici comme dans le reste de la France, on était mûr pour le 18 Brumaire...

Si Bonaparte, puis Napoléon, ne fut pas spécialement un chantre de la paix, il ramena travail et prospérité: «Au moment de la Constitution de la Cour impériale, la situation de la soie à Lyon s'améliore nettement. Le dessinateur Rivet trace le modèle de l'habit brodé offert au Consul par le Commerce de Lyon. Par un travail incessant, les soyeux accélérèrent la fabrication des velours, des satin, des broderies et des étoffes de tentures...» Le château de Saint-Cloud et la Malmaison en furent les bénéficiaires: «Bref, l'empereur multiplie les commandes...», mais il faut aussi souligner les progrès considérables dans la monde du textile réalisés grâce à l'invention du Lyonnais Jacquard: «En rendant inutile l'office du «tireur de lacs» jusque-là

tels statt: vor einer gewaltigen Menschenmenge legen 50000 Nationalgardisten und die Vertreter aus 390 französischen Gemeinden ihren Treueeid an die Nation ab. In der Zeitung «Le Courrier de Lyon» verewigt Madame Roland dieses Ereignis. Wer ist diese Frau?

Ihre Begegnung mit Jean-Marie Roland de la Platière, zwanzig Jahre älter als sie, sollte für den Rest ihres Lebens bestimmend werden. Die spätere Madame Roland lebt mit ihrem Mann, einem Inspektor der Manufaktur von Lyon, zurückgezogen aus der Stadt, in der Nähe von Villefranche-sur-Saône, im Clos de la Platière, in dem sich, so scheint es, alle Freuden dieser Erde vereinen. Mit dem ersten Grollen der Revolution, beginnt für Roland der Einstieg in die Politik. Er wird von der Lyoner Stadtverwaltung als Vertreter in die Konstituante gewählt, knüpft in Paris schnell enge Bande zu Brissot und seinen Freunden; schließlich wird dieser Girondist aus Lyon, im März 1792, Innenminister. Seine Frau eifert ihm nach, unterstützt ihn und wird recht einflußreich. In Paris öffnet sie die Türe ihres Salons den Wortführern der Revolution, besonders den Girondisten, deren Ratgeberin sie wird. Sie wird um ihrer Ideen Willen auf dem Schafott sterben, und sie soll dort, in der letzten Minute ihres Lebens, folgenden Schrei getan haben: «Oh Freiheit, welche Verbrechen verübt man nicht in Deinem Namen!»

In Lyon war unterdessen, nachdem die Royalisten mit einem Komplott gescheitert waren, Louis Vitet, der Roland nahe stand, Savy als Bürgermeister nachgefolgt. Die Zivile Konstitution des Klerus führte, im März 1791, zur Ernennung eines konstitutionnellen Bischofs, des Abbé Lamourette, einem ehemaligen Berater von Mirabeau, dessen Name um so mehr in Liedern verspottet wurde, als er auf den wachsenden Widerstand der Priester stieß, die den Eid auf die Verfassung verweigert hatten. Dem Erzbischof des

Kellermann and Dubois-Crancé beseiged the city whose defenses were held by the forces under the orders of an ex-officer of the Royal Army, the Count of Précy, the only man, it is true, capable of playing the part of a real military leader. On 9th October, after a merciless struggle, Lyons was obliged to capitulate. Three days later, the Convention made public the famous decree, heavy in consequences for the history of Lyons, and not just concerning the terrible repression it announced: «the city of Lyons will be destroyed (...) The reunion of the preserved houses shall of now bear the name of «Ville-Affranchie» (Free Town). On the ruins of Lyons, a column shall be erected to attest to posterity the crimes and the punishment of the Royalists of this city with the inscription : «Lyons made war on liberty. Lyons no longer exists».

But Lyons remained, in spite of everything and despite the dead left by the representatives of the Convention amongst whom, at Fouché's side, stood in good position Jean-Marie Collot d'Herbois («that professional actor» as Mme Roland called him with irony) thirsty perhaps for vengeance on the people of Lyons who had once whistled him on the stage.

But 9 Thermidor and the fall of Robespierre caused the situation to be reversed and the «Terror» changed actors and colours. The city did not gain much by it and it is easy to understand why, in December 1797, it welcomed the name of the man who was covering himself with glory in Italy. A medal was struck for Bonaparte with the following mention: «He only fought for peace and the rights of man». Here, as in the rest of France, all was set for the 18 Brumaire.

If Bonaparte, future Napoleon, was not particularly a champion of peace, he brought back work and prosperity: «At the time of the constitution of the Imperial Court, the silk situation in Lyons greatly improved. The sketcher Rivet drew the model of the

La Montée de la Grand-Côte et la Montée du Gourguillon, hauts lieux historiques et théâtres de sanglantes manifestations.

Die Montée de la Grand-Côte und die Montée du Gourguillon sind geprägt von der Geschichte und blutigen Aufständen.

The Montée de la Grand-Côte and the Montée du Gourguillon, famous historical places and theatres of bloody demonstrations.

indispensable, cette nouvelle technique apporte la plus appréciable économie de main d'oeuvre...» (4) Pour cela même le «métier Jacquard» sera contesté par le risque de chômage qu'il fera planer. Ce n'est qu'en 1811 qu'il sera mis en fonction sans que son inventeur n'en retire, d'ailleurs, grand profit...

On peut comprendre ainsi que sur le chemin du retour de l'île d'Elbe, hébergé dans Lyon, l'empereur lança ce cri: «Lyonnais je vous aime!». Le spectacle de la Restauration qui suivit aurait peut-être refroidi cet élan, à la lecture, en juillet 1815, du «Moniteur Universel» qui décrivait l'entrée des Autrichiens dans Lyon: «...Sur les 3 heures de l'après-midi, Son Excellence M. le Comte de Bubna, gouverneur de Lyon pour les armées alliées, y fit son entrée, accompagné de M. le Préfet (M. de Chabrol) et de M. le Maire. Son excellence fut saluée par le peuple aux cris de Vive le Roi, Vive les Alliés (...) On a admiré la belle tenue et l'excellente discipline de ces troupes qui ne sont point arrivées en ennemies et dont la modération a déjà calmé les inquiétudes que cause nécessairement dans une cité industrieuse et tranquille l'occupation d'une armée étrangère...»

Voilà qui augurait d'une période faste et, même avec des crises passagères, la Fabrique, en cette première moitié de XIXème siècle, vécut une période de prospérité, avec abondance de capitaux, gérés avec mesure, puisque l'on disait que «l'idéal du Lyonnais était d'arriver à ne dépenser que les revenus de ses revenus»... Ce n'était pas évidemment l'adage du «canut» pour qui l'injustice salariale pesait lourdement. C'est sur la fixation d'un tarif minimum des prix de façon et son application qu'éclata, en 1831, un violent orage. Le 21 novembre, le coeur battant de la ville, la Croix-Rousse, se mobilise dans la grève. Le lendemain, débordant les autorités, les canuts, derrière leurs drapeaux noirs où s'inscrit le «Vivre en travaillant ou mourir en combattant», descendent

Ancien Régime, de Marbeuf, wird nachgesagt, er habe dabei aus seiner Emigration die Fäden gezogen. In der St Nicasius Kirche betet der sehr aktive Abbé Linsolas «für den König, die Königsfamilie, den Bischof und den Erzbischof der Diözese». Auf der anderen Seite sind die Jakobiner tätig, unter Federführung eines Mannes, den Michelet so porträtiert: «Dieser Prophet, dieser Possenreißer ist kein Mensch. Er ist eine Stadt, eine leidende Welt; er ist der wilde Schmerzensschrei von Lyon.» Sein Name ist Marie-Joseph Chalier.

Doch horcht Lyon weiterhin auf Paris. Die Echowellen der Ereignisse des 10. August 1792 schlagen sich hier nieder, und im September wird die Stadt auch ihre Massaker erleben. Die wütende Menge stürzt sich auf die Festung von Pierre-Scize - die Lyoner Bastille - und auf die dort schmachtenden Gefangenen des Cavalerie-Regiments «Royal-Pologne», die aller Übel bezichtigt werden, und metzelt sie nieder. 1793 überstürzen sich die Schreckensereignisse. Im Januar stimmen 8 von 14 Abgeordneten für die Gefangenhaltung des Königs, 6 verurteilen ihn zum Tode. Nach der Hinrichtung von Capet wirft die Guillotine ihre beunruhigenden Schatten auf den Place des Terreaux. Nivière-Chol, ein Girondist, der Nachfolger von Vitet im Rathaus, muß seinen Platz am 8. März 1793 für den Jakobiner Bertrand räumen, einem Freund von Chalier. Dieser sschlägt schärfere Töne an und zögert nicht, zu proklamieren «daß die Sansculottes die Tyrannen, Aristokraten, Feuillanten (gemäßigte Republikaner), Gemäßigten, Egoisten, Spekulanten, Wucherer und die fanatische Klasse der Priester, den jähzornigen Feind der Freiheit, ausrotten werden».

Seine Gegner haben jedoch einen gewissen Aktionsspielraum bewahrt, und am 29. Mai setzen sie, unterstützt von der Nationalen Garde und dem Rat des Départements, Chalier ab und verhaften ihn. Am 16. Juli fällt sein Kopf unter der Guillotine.

embroidered coat offered to the Consul by the Tradespeople of Lyons. Through their continuous toil, the silk workers accelerated the manufacture of velvets, satins, embroideries and fabrics for hangings». The Chateau of Saint-Cloud and La Malmaison benefitted from this: «In brief, the Emperor multiplied his orders» but the considerable progress in the textile world should be underlined, realized thanks to the invention of the Lyonnais Jacquard : «By making useless the job of the «tireur de lacs» (weavers made redundant by the introduction of the Jacquard loom).until then necessary, this new technique provides an appreciable economy in labour» (4) For this very reason the «Jacquard loom» was to be contested due to the risk of unemployment it caused, and it was not until 1811 that it was brought into use, its inventor scarcely gaining any profit from it.

It is also easy to understand that while staying in Lyons on his way back from the island of Elba, the Emperor cried out : «Lyonnais, I love you !» The image of the Restauration that was to follow might perhaps have calmed this enthusiasm on reading the «Moniteur Universel» in July 1815, describing the entry of the Austrians into Lyon : « At about three o'clock in the afternoon, His Excellence the Count of Bubna, Governor of Lyons for the allied armies made his entrance accompanied by the Prefect (M. de Chabrol) and the Mayor. His Excellence was greeted by the people with cries of «Long live the King, long live the Allied» (...) Much admired were the superb uniforms and excellent discipline of these troops who had not arrived as enemies and whose moderation had already calmed the fear obviously caused by a foreing army's occupation of an industrious and peaceful town».

Here indeed was the beginning of a period of wealth and, even with occasional crises, the Manufacture lived a period of prosperity during this first

Le fort St Jean fait partie d'un ensemble de places fortes destinées à surveiller, au siècle dernier, les indomptables canuts.

Das Fort St Jean gehört zum ehemaligen Festungsring der Stadt, von dem aus, im letzten Jahrhundert, die aufständischen Weber überwacht wurden.

Fort St jean is part of a group of forts used during the last century to watch over the indomitable canuts.

sur la presqu'île et occupent les édifices publics. La colère profonde n'est pas de celle qui veut conquérir mais de celle qui réclame justice, avec une population qui «a faim et ne pille pas», qui «s'est révoltée et n'abusera pas de sa victoire, méconnaissant le pouvoir et ne désertant pas son drapeau.» A l'effroi des notables succèdera la reprise en main - une main gantée de fer et non de velours - qu'une troupe animée par le duc d'Orléans et le maréchal Soult aura tôt fait d'accomplir. Les événements avaient cependant marqué et Saint-Marc de Girardin, dans «Le Journal des Débats», notera: «La sédition de Lyon a révélé un grave secret, celui de la lutte intestine qui a lieu dans la société entre la classe qui possède et celle qui ne possède pas. Notre société commerciale et industrielle à sa plaie comme toutes les autres sociétés;cette plaie, ce sont les ouvriers.»

Trois ans plus tard, le grondement se renouvellera, avec en toile de fonds cette fois l'essor de la «Société des Mutuellistes», héritière du «Devoir Mutuel» fondé au début du règne de Charles X sur l'initiative de chef d'atelier Pierre Charnier. Ce mouvement associatif, en butte aux ukases interdisant alors les coalitions ouvrières, regroupait plus de mille membres en 1833 et disposait d'un organe: «L'Echo de la Fabrique». Dans la houle soulevée par un procès d'«agitateurs», en avril 1834, déferla, malgré des appels au calme, une vague d'ouvriers canuts et aux Cordeliers se centra une lutte bientôt sanglante. La Croix-Rousse, en effet, depuis les éruptions de 1831 se voyait bordée d'une ceinture solide, dominée par les forts de Montessuy, Saint-Jean et Loyasse. Sous étroite surveillance, les ouvriers combattaient en situation d'infériorité. Au 12 avril, batailles de rues, exécutions dans l'église des Cordeliers traçaient l'hallali qui couchait plusieurs centaines de victimes. Le préfet Gasparin fut félicité par Adolphe Thiers qui laissera quant à lui les preuves de sa fermeté

Von da an hat sich Lyon, in den Augen der Konvention, in der die Jakobiner die Girondisten verdrängt haben, in eine Festung des Royalismus verwandelt. Die Stadt wird feierlich aufgefordert, wieder in die Reihen zurückzukehren. Das tut sie nicht. Am 8. August 1793 belagert die Armee der Alpen, unter dem Befehl von Kellermann und Dubois-Crancé, die Stadt, deren Verteitigung in den Händen eines ehemaligen königlichen Offiziers liegt, dem Herzog von Précy, dem einzigen, der wirklich in der Lage ist, die Rolle eines Militärchefs zu übernehmen. Am 9. Oktober, nach unerbittlichen Kämpfen, muß Lyon sich unterwerfen. Drei Tage später erläßt die Konvention das berühmte und für die Lyoner Geschichte so folgenschwere Dekret, und das nicht nur wegen der brutalen Repression, die es ankündigte: «Die Stadt Lyon wird zerstört (...) Die noch bleibenden Häuser werden von jetzt ab den Namen "Ville-Affranchie" (befreite Stadt) tragen. Auf den Ruinen von Lyon wird eine Säule errichtet, die vor der Nachwelt Zeugnis ablegen wird von den Verbrechen und der Bestrafung der Royalisten dieser Stadt, mit folgender Inschrift: "Lyon erklärte der Freiheit den Krieg. Lyon ist nicht mehr".»

Lyon wird bleiben, allen Toten, die die Entsandten der Konvention hier hinterlassen haben, zum Trotz. Unter ihnen nimmt, neben Fouché, Jean-Marie Collot d'Herbois («dieser Berufsschauspieler» wie Madame Roland ihn ironisch nannte) einen Ehrenplatz ein. Ihm war vielleicht an einer Revanche mit den Lyoner Bürgern gelegen ... die ihn einstmals auf offener Szene ausgepfiffen hatten. Doch der 9. Thermidor und der Sturz von Robespierre ließen die Lage erneut umschlagen, der Schrecken hatte nun andere Akteure und eine andere Farbe. Die Stadt gewann dadurch wenig, und es ist verständlich, daß sie, im Dezember 1797, den gebührend empfing, der sich in Italien mit Ruhm überhäufte. Für Bonaparte ließ man eine Medaille mit folgender Aufschrift prägen: «Er

half of the 19th century with an abundance of capital carefully managed since it was said that «a Lyonnais' ideal was to spend only the income of his income». This was obviously not the proverb of the «canut» (silk weaver) on whom salaries injustice heavily weighed. It was on the fixing of a minimum price for his production and its application that a violent storm was to break in 1831. On 21st November, the very heart of the city, the Croix-Rousse, mobilized in a strike. The next day, the silk weavers, overpowering the authorities and brandishing their black flags bearing the inscription «Live by working or die in fighting», came down into the peninsula and occupied the public buildings. Deep anger is not that which just wants to win, but that which claims justice with a population who is hungry and who does not pillage», who «revolted and will not misuse its victory, ignoring the authorities and not deserting its flag». To the fear of the leading citizens succeeded the taking up of the «situation» with a hand in an iron glove not a velvet one that a group led by the Duke of Orleans and the Marechal Soult soon accomplished. The events had however left their mark and Saint Marc de Girardin, in «Le Journal des Débats» was to note : «the revolt of Lyons revealed a serious secret, that of the domestic struggle that occurs in society between the owning class and the class that owes nothing. Our commercial and industrial society has its sores like any other society; that sore is the workers». Three years later, the troubles began again, this time with the background of the success met by the «Société des Mutuellistes», heir to the «Devoir Mutuel» founded at the beginning of the reign of Charles X on the initiative of the foreman Pierre Charnier. His illegal associative movement, in opposition with the ukases then prohibiting coalitions of workers, grouped over a thousand members in 1833 and had a newspaper: «L'écho de la Fabrique».

In the storm caused by the

En 1848, **"Les Voraces"**, confrérie de style compagnonnique de la Croix-Rousse, participèrent à l'élan révolutionnaire.

1848 nahmen **die «Voraces»**, eine Art Gesellen-Bruderschaft des Croix-Rousse Viertels, an den revolutionären Aufständen teil.

In 1848, **«Les Voraces»** a brotherhood similar to that of the «compagnons» of the Croix Rousse took part in the revolutionary fervour.

avec le sang versé de la rue Transnonain, à Paris...

Dans les fastes et les frasques du Second Empire se modèlera un visage différent de Lyon:de 1853 à 1864 le préfet Vaïsse sera à la pointe de cette transformation, créant de grandes artères (la Rue Impériale, actuelle rue de la République), des quartiers clés (le bâtiment et le quartier de la Bourse), des aménagements (des quais de la Saône à ceux du Rhône en passant par la création du Parc de la Tête d'Or), des bâtiments enfin témoin de l'évolution fulgurante du siècle comme les gares de Perrache et des Brotteaux. Sur cette lancée, le monde soyeux prospérait, celui de la finance s'étendait et des hommes tels que Henri Germain avec le Crédit Lyonnais, faisaient de Lyon une place importante où le brassage des affaires, même modulé selon les rigueurs locales, n'exclua pas le «Krach» (dit de «L'Union Générale») qui secoua en 1882 plus d'une fortune. Mais rien n'empêcha durablement cette expansion remarquable, de la Fabrique à l'univers industriel, avec ces touches bien trempées: «Entreprises familiales, ateliers familiaux. Partout en France la bourgeoisie a cultivé l'intimité de la famille;rarement autant qu'à Lyon elle en a préservé l'aspect clos sur l'extérieur.» Ce qui n'était pas contradictoire avec ceci: «Le Lyonnais est libéral, viscéralement, jusqu'à la moëlle». Ce qui nous amène à constater que de «cette passion de la liberté des hommes aidèrent les Lyonnais à en expliciter les fondements intellectuels; or ce furent des prêtres, car Lyon fut une place forte du catholicisme libéral:un abbé Noirot, durant vingt-cinq ans professeur de philosophie au lycée Ampère; un abbé Dauphin, fondateur du Collège d'Oullins qu'il allait transmettre aux dominicains de Lacordaire;un abbé Rambaud, créateur d'oeuvres sociales où la liberté de la personne était soigneusement respectée...» (5) L'église lyonnaise, diversement, témoignait toujours d'une vaste

kämpfte nur für den Frieden und die Menschenrechte». Hier, wie im restlichen Frankreich, war man reif für den 18. Brumaire (*den 9. November 1799, dem Tag, an dem Napoleon, durch einen Staatsstreich, Erster Konsul wurde. Anm. des Ü.*)

Zwar war Bonaparte, also Napoleon, nicht gerade ein Friedenssänger, doch brachte er Arbeit und Wohlstand: «Zum Zeitpunkt der Konstitution des kaiserlichen Hofes, verbesserte sich die Lage der Lyoner Seidenindustrie beträchtlich. Der Zeichner Rivet entwarf das Modell des bestickten Mantels, den die Lyoner Kaufleute dem Konsul schenkten. Durch ihre unaufhörliche Arbeit beschleunigten die Seidenweber die Herstellung von Samt- und Satinstoffen, von Stickereien und Tapisserien. Das Schloß von Saint-Cloud und Schloß Malmaison (*wo Napoleon mit Josephine lebte und 1814 verstarb. Anm. des Ü.*) profitieren davon, «kurz gesagt, der Kaiser bestellt mehr und mehr.» Doch darf man in diesem Zusammenhang natürlich nicht den beachtlichen Fortschritt für die Textilindustrie vergessen, den diese der Erfindung des Lyoner Josephe Marie Jacquard verdankt (*den nach ihm benannten Webstuhl. Anm. des Ü.*) «Diese neue Technik machte den Einsatz der bis dahin absolut notwendigen «Kordelzieher» (*die vorher die den Schiffchenfarben entsprechenden Kettenfäden hochgezogen hatten. Anm. des Ü.*) was eine beachtliche Einsparung an Arbeitskräften ermöglichte.» (4) Doch selbst der Jacquard-Webstuhl wird verschrien, da er das Spektrum der Arbeitslosigkeit heraufbeschwört. Erst 1811 kommt er wirklich zum Einsatz, ohne daß sein Erfinder daraus besonderen Gewinn geschlagen hätte.

Man kann also verstehen, daß der Kaiser, auf dem Rückwege von der Insel Elba, bei seiner Übernachtung in Lyon, ausgerufen hat: «Lyoner, ich liebe Euch!» Das Schauspiel, das die Restauration dann bot, hätte diese Begeisterung vielleicht getrübt, wenn man,

proceedings taken against «agitators» in 1834 a swarm of silk weavers arrived in spite of the appeals to remain calm and in the district of the Cordeliers took place struggles that soon generated bloodshed. Indeed, since the troubles of 1831, the Croix-Rousse was surrounded with a solid girdle of forts : Montessuy, Saint Jean and Loyasse. Under strict supervision, the workers fought in an inferior position. On 12th April, street battles and executions in the church of the Cordeliers blew the most that was to lay down several hundred victims. The Préfet, Gasparin, was congratulated by Adolphe Thiers who was to leave the proof of his firmness in the blood shed rue Transnonain in Paris.

In the pomp and amusements of the Second Empire, Lyons modelled a new image of itself: from 1853 to 1864, the Préfet Vaisse was at the head of this transformation, creating large streets (Rue Impériale, now Rue de la République), key areas (the building and the area of the Exchange), developments (from the embankments of the Saône to those of the Rhône, in passing by the creation of the Parc de la Tête d'Or), and finally buildings, witness of the fulgurous evolution of the century, such as the railway stations of Perrache and the Brotteaux. This was a time of prosperity for the silk manufacturers, the financial world was expanding and men such as Henri Germain with the Crédit Lyonnais made Lyons an important place where the handling of business, even modulated according to strict local rules, did not exclude the «smash» (said of «l'Union Générale») that in 1882 was to affect more than one fortune. But nothing could prevent this extraordinary expansion for long, from the Manufacture to the industrial world, with its particular characteristics: «Family businesses, family workshops. Everywhere in France the middle class cultivated the intimity of the family and rarely as much as in Lyons did it preserve the feature of being closed to the

Joseph-Marie Jacquard (1752-1834) qui sut développer et améliorer, par son métier à tisser, le rendement et la qualité de la soierie lyonnaise.

Joseph-Marie Jacquard (1752-1834) hat es verstanden, durch seinen Webstuhl, die Leistung und Qualität der Lyoner Seidenindustrie zu verbessern.

Joseph-Marie Jacquard (1752-1834) who, with his loom, developed and improved the output and quality of the Lyonnais silk factories.

influence. Dont quelques représentants allaient pousser à l'extrême l'exemplarité.

Pauline Jaricot (1799-1862) et son action, inséparable de la «Propagation de la Foi», mues par le spectacle de la misère ouvrière, Antoine Chevrier, fondateur, en 1860, au sein du quartier populeux et sans ressources de la Guillotière, du «Prado», «société de prêtres pauvres pour les pauvres», manifestaient l'éveil de la conscience religieuse face aux redoutables effets de la révolution industrielle. Plus symboliquement, mais chargée d'histoire, la bénédiction du cardinal de Bonald, le 8 décembre 1852, de la nouvelle statue de la Vierge à Fourvière instituait une manifestation religieuse dont chaque année, désormais, on reconduira le rite. Les lumières (les «Illuminations») du 8 décembre brillent encore aujourd'hui sur Lyon, même si la ferveur qui les inspire n'est plus tout aussi désintéressée...

Nous retiendrons enfin un homme puis des hommes dans le cadre adapté à l'histoire contemporaine lyonnaise. Edouard Herriot, d'abord, qui, durant ce que d'aucuns ont appelé son «principat», c'est-à-dire plus de cinquante ans d'exercice à la mairie de Lyon (1905-1957), a appliqué en de nombreux domaines sa griffe sur la vie lyonnaise durant cette période. Les Résistants ensuite, ceux sur lesquels a reposé l'honneur d'avoir redonné un temps le titre de capitale à Lyon, celle du refus opposé à l'envahisseur nazi: «Lyon fut la capitale d'une France mutilée, écrira «Alban»-Vistel, elle sut tenir un rang digne d'une Histoire multiséculaire...»

im Juli 1815, im «Moniteur Universel» die Beschreibung des Einzugs der Österreicher in Lyon liest: «Gegen drei Uhr Nachmittags, betrat Seine Excellenz, der Herzog von Bubna, in Begleitung von dem Herrn Präfekten de Chabrol und von Herrn Bürgermeister, die Stadt. Seine Exzellenz wurde vom Volke mit dem Ruf "Es lebe der König, es leben die Alliierten" begrüßt (...) Man bewunderte die stramme Haltung und ausgezeichnete Disziplin dieser Truppen, die in keinster Weise als Feinde gekommen sind, und deren Mäßigung bereits die Sorgen geglättet hat, die notgedrungen die Besetzung einer ruhigen und arbeitsamen Stadt durch eine ausländische Armee verursacht.»

Dies schien das Anzeichen zu sein für eine blühende Epoche, und in der Tat, wenn auch mit vorübergehenden Krisen, erlebte die Seidenindustrie, in der ersten Hälfte des 19. Jahrhunderts, eine Periode des Wohlstandes. Große Geldmittel standen zur Verfügung, die mit Mäßigung verwaltet wurden. Hieß es nicht, daß «das Ideal des Lyoners sei, es dahin zu bringen, nur noch das Einkommen aus seinen Einkommen auszugeben». Dies war natürlich nicht der Wahlspruch des einfachen Webers, den die ungerechten Löhne schwer belasteten. Und so brach, aus Anlaß der Festsetzung eines Mindestlohns für die Façonarbeit und dessen Anwendung, 1831 ein schweres Gewitter aus. Am 21. November tritt das schlagende Herz der Stadt, das Croix-Rousse-Viertel, in den Ausstand. Am nächsten Tag ziehen die Weber, deren die Autorität nicht mehr Herr wird, hinter ihren schwarzen Fahnen mit der Aufschrift: «Arbeitend leben oder kämpfend sterben» in die Stadt hinunter und besetzen dort die öffentlichen Gebäude. Die dunkle Wut ist nicht von der Art, die erobern will, sie verlangt nach Gerechtigkeit, mit einer Bevölkerung «die Hunger leidet und nicht plündert», die «zum Aufstand gerufen hat und ihren Sieg nicht mißbrauchen wird, die bestehende Macht

outside». This was not in contradiction with the fact that «The Lyonnais is utterly liberal, right down to the marrow». Which brings us to note that «certain men were to help the Lyonnais to explain the intellectual foundings of this passion for liberty; these men were priests, for Lyons was a stronghold of liberal Catholicism: Father Noirot, for twenty-five years teacher of philosophy at the Lycée Ampère ; Father Dauphin, founder of the Collège d'Oullins he was to hand over to the Lacordaire Dominicans; Father Rambaud, founder of charities where individual liberty was scrupulously observed» (5). The Church of Lyons always had a wide influence in various fields, and several of its representatives were to push their example to extremes. Pauline Jaricot (1799-1862) and her action, inseparable from the «spreading of the Faith», moved by the extreme poverty of the working class, Antoine Chevrier who, in 1860, founded the «Prado», an association of poor priests for the poor», in the heart of the densely populated and resourceless district of La Guillotière, showed a beginning of religious conscience faced with the terrible effects of the Industrial Revolution. More symbolically, but laden with history, the benediction by Cardinal de Bonald on the 8th December 1852, the «MON» of the new statue of the Virgin at Fourvière established a religious event, the rite of which was henceforth repeated every year. The lights, illuminations of the 8th December, still shine over Lyons today, even if the fervour that inspired it is not quite as disinterested.

Finally, we will choose one man and then men in the framework adapted to the contemporary history of Lyons. Edouard Herriot first of all who, during what some called his «principate», i.e. over fifty years in office at the Townhall of Lyons (1905 - 1957), left his mark in a number of fields in the life of Lyons during that period. Then the Resistants, those on whom lay the honour of giving back to

Affiche de Auzolle (1896) pour le Cinématographe Lumière. Collection Institut Lumière, rue du Premier Film.

Ein Plakat von Auzolle (1896) für den Kinematrographen der Gebrüder Lumière. Aus der Sammlung im Institut Lumière, in der rue du Premier Film.

Poster by Auzolle 1896) for the Cinématographe Lumière. Collection Institut Lumière, rue du Premier Film.

Tenture dessin de fleurs, ruban et plumes de paon, attribué à Bony, réalisée pour la chambre de Marie-Antoinette à Versailles, lampas broché, soie. Lyon, fabricant Desfarges, 1786-87. Musée des Tissus.

Ein Bony zugesprochener Wandbehang mit Blumen, Bändern und Pfauenfedern, bestimmt für das Zimmer der Marie-Antoinette in Versailles, aus brochiertem Lampas und Seide. Hergestellt 1786-87 bei Desfarges in Lyon. Im Musée des Tissus (Seidenmuseum).

Hanging with a design of flowers, ribbon and peacock feathers, attributed to Bony, realized for Marie Antoinette's room in Versailles, rich silk brocade. Lyon, manufacturer Desfarges 1786-89. Musée des Tissus.

Démonstration sur presse du XV° recons-
tituée et le «Placard contre la Messe» à
l'origine des troubles religieux (1534).
Musée de la Banque et de l'Imprimerie.

Vorführung einer nachgebauten
Druckpresse aus dem 15. Jhdt. und der
«Anschlag wider die Messe», aus der Zeit
der religiösen Unruhen von 1534. Im Bank-
und Buchdruckmuseum.

Demonstration on a reconstruction of a
15th century press and the «Placard contre la
Messe» at the origin of the religious troubles
in 1534, Musée de la Banque et de
l'Imprimerie.

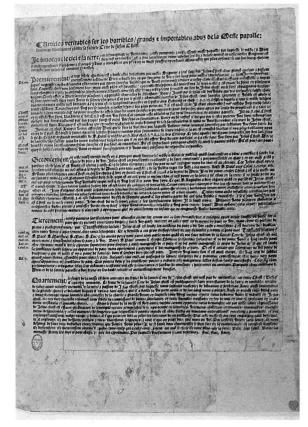

La cour de France séjourna longtemps à lyon qui prenait allure de capitale du royaume. Lyon et ses Florentins qui, comme les Gadagne, devenaient les «plus illustres répondants vis-à-vis de la royauté. Leurs richesses étaient incomparables. A Lyon, Crésus avait cédé le pas à Gadagne. On proférait avec envie l'expression «riche comme Gadagne». Cette gestion et ces bénéfices n'allaient pas laisser insensibles les rois de France. L'un des plus riches banquiers de toute l'Europe ne pouvait manquer, d'autre part, de proposer ses bons offices aux rois. L'avenir montrera que François Ier, en 1521, fera de Thomas Gadagne un de ses conseillers les plus utiles. (6)

Quant aux «Entrées royales», elles saluèrent, dans une débauche de largesses, Charles VII, Louis XI et Charles VIII, lequel partait guerroyer coûteusement au-delà des Alpes...

3 septembre 1944. Lyon sortait de longs mois de cauchemar. Yves Farge, commissaire de la République lyonnais, raconta ces heures d'allégresse et, encore, de confusion: «La rue gronde, chante et crie. On tire toujours (...). Sur les quais, la foule massée regarde à distance à peine raisonnable, des tanks américains roulant sur la chaussée; ils portent des grappes humaines desquelles émergent des jeunes filles, cheveux au vent (...) Du côté de la caserne de la Part-Dieu, des jeunes gens armés ne portant même pas un brassard arrêtent les passants et les menacent. J'interviens. Je suis empoigné et conduit dans un bar où je retrouve un homme qui me connaît. Il faudra mettre fin à ces fantaisies ridicules. Au coin d'une rue, des femmes sont tondues et la foule hurle...» (7)

anerkennt und ihr Banner nicht im Stich lassen wird». Bei den ehrwürdigen Herren folgt auf den Schrecken die Reaktion, man nimmt die Lage wieder in die Hand - und zieht dafür keine Samt- sondern eher eiserne Handschuhe an: die Truppe, unter dem Befehl des Grafen von Orleans und des Markgrafen Soult wird das schnell erledigen. Doch haben diese Ereignisse Saint-Marc de Girardin beeindruckt, der, im «Journal des Débats» vermerkt: «Der Aufruhr von Lyon hat ein großes Geheimnis preisgegeben, das Geheimnis des inneren Kampfes, der in der Gesellschaft ausgetragen wird, zwischen der besitzenden und der nicht besitzenden Klasse. Unsere Industrie- und Handelsgesellschaft hat ihre Wunde, wie jede andere Gesellschaft; und diese Wunde sind die Arbeiter.»

Drei Jahre später kommt es zu erneuten Unruhen, diesmal vor dem Hintergrund des Aufschwungs der «Société des Mutuellistes» (der Gesellschaft auf Gegenseitigkeit), Erbin des «Devoir Mutuel» (der gegenseitigen Verpflichtung), die, zu Beginn der Regierungszeit von Karl X., auf Initiative des Werkstattmeisters Pierre Charnier, gegründet worden war. Dieser Verein stieß auf den Widerstand der «Zaren», die jeden Zusammenschluß von Arbeitern verboten. 1833 zählte er schon mehr als tausend Mitglieder und verfügte über ein Organ: «L'Echo de la Fabrique» (Das Fabrik-Echo). In der Aufregung um einen Prozeß gegen «Unruhestifter», ging, trotz aller Aufrufe zur Ruhe, eine Welle des Aufruhrs durch die Stadt, Richtung Place des Cordeliers, wo es bald zu blutigen Schlachten kam. Doch hatte man das Croix-Rousse-Viertel, seit den Aufständen von 1831, mit einem Befestigungsgürtel umgeben, überragt von den Festungen von Montessuy, Saint-Jean und Loyasse. Die Weber waren also bestens überwacht und kämpften in aussichtsloser Lage. Am 12. April läuteten Straßenschlachten und Hinrichtungen in der Franziskanerkirche das Ende ein, das mehrere Hundert Opfer

Lyons, for a time at least, the title of capital, the refusal before the Nazi invader: «Lyons was the capital of a mutilated France» wrote «Alban» Vistel, it knew how to keep a position worthy of centuries of History.

(1) A. Audin : «Le 10 octobre de l'An 1958, Lyon aura 2000 ans», Commerce et Qualité, 1957.
(2) «L'Evangile au confluent», Chalet, 1977.
(3) «Les Lyonnais dans l'Histoire», Privat
(4) P. Séguy: «Histoire des modes sous l'Empire», Tallandier.
(5) «Lyon, l'argent, le commerce et la soie», Fond. Espace Bellecour.
(6) «Quand le cour de France vivait à Lyon», L. Bourgeois, Fayard.
(7) «Soldats, Rebelles et Citoyens», Y. Farge Grasset.

André-Marie Ampère le génial et distrait inventeur, né à Poleymieux, enseignait à Lyon.

André-Marie Ampère, genialer und zerstreuter Erfinder, wurde in Poleymieux geboren und unterrichtete in Lyon.

André-Marie Ampère, the ingenious and forgetful inventor, born in Poleymieux used to teach in Lyons.

De **Jeanne d'Arc,** défenseur de la monarchie à la République méprisée et de Jean
Kléberger le «bon Allemand» à Henri IV le
populaire, et aux 300 vierges nichées au coin
des maisons, la statuaire lyonnaise traduit
l'histoire de France.

Lyon ist überreich an Statuen: Von **Jeanne
d'Arc** (Johanna von Orléans), der
Verfechterin der Monarchie, bis zur
Verachteten Republik, von hans Kleberg,
dem «guten Deutschen», bis zum populären
Heinrich IV., ohne die mehr als 300
Madonnen in Nischen und Erkern zu
vergessen. Sie alle spiegeln die Geschichte
Frankreichs wider.

From **Joan of Arc,** defender of the monarchy
to the Scorned Republic and from Jean
Kleberger the «good German» to the
popular Henri IV and the 300 virgins tucked
away in house corners, the statues of Lyon
tell the history of France.

hinterließ. Adolphe Thiers, der übrigens selber, in Paris, den Beweis seiner entschlossenen Härte, mit dem in der rue Transnonain geflossenen Blut, hinterließ, beglückwünschte den Präfekten Gasparin.

In der Zeit des Prunk und Stunk des Second Empire schälte sich für Lyon ein anderes Gesicht heraus: von 1853 bis 1864 war der Präfekt Vaisse der entscheidende Betreiber dieser Veränderung; er ließ breite Straßen anlegen (so die Rue Impériale, die heutige Rue de la République), bedeutende Viertel umbauen (die Börse und das sie umgebende Stadtviertel), plante überall großzügig (so die Saône- und Rhôneufer oder auch den Parc de la Tête d'Or), und schließlich Gebäude, die von der gewaltigen Entwicklung Zeugnis geben, die dieses Jahrhundert erlebte (wie die Bahnhöfe von Brotteaux und von Perrache). Auch die Seidenindustrie blühte, das Finanzwesen wurde immer bedeutender, und Männer wie Henri Germain, Gründer des Crédit Lyonnais, machten Lyon zu einem wichtigen Umschlagplatz im Geschäftsleben. Doch konnte auch Lyon, das immer etwas vorsichtiger in geschäftlichen Dingen war, den Krach der Union Générale 1822 nicht vermeiden, bei dem so manches Vermögen in Mitleidenschaft gezogen wurde. Doch nichts hinderte auf Dauer diesen beachtlichen Aufschwung, von der Seidenindustrie bis zu allen anderen, mit einigen typischen Eigenheiten: «Familienbetriebe, Familienwerkstätten. Überall in Frankreich hat das Bürgertum den Intimbereich der Familie gepflegt; selten bleibt sie so sehr wie in Lyon nach außen verschlossen.» Was nicht im Widerspruch stand zum Folgenden: «Der Lyoner ist liberal, bis in seine Eingeweide, bis ins Knochenmark.» Das führt uns zu folgender Feststellung: «Was diese Leidenschaft der Freiheit angeht, so halfen einige Männer dem Lyoner, seine geistigen und intellektuellen Fundamente klar zu formulieren; und das waren Priester, denn Lyon war schon immer eine Festung des liberalen Katholizismus: ein Abbé Noirot, 25 Jahre lang Professor für Philosophie am Lycée Ampère; ein Abbé Dauphin, Gründer des Gymnasiums von Oullins, das er den Doiminikanern von Lacordaire überlassen sollte; ein Abbé Rambaud, Gründer von Sozialwerken, in denen die Freiheit der Person sorgsam respektiert wurde.» (5) Die Kirche von Lyon, hat schon immer einen breiten Einfluß gehabt, so verschiedene Gesicter sie auch hatte. Und einige ihrer Vertreter brachten es bis zur absoluten Beispielhaftigkeit.

Pauline Jaricot (1799 - 1862) und ihre Aktion sind untrennbar verbunden mit dem «Werk der Glaubensverbreitung»; tief betroffen vom Schauspiel des Elends der Arbeiter, Antoine Chevrier, der Gründer des «Prado», «einer Gesellschaft armer Priester für die Armen», die 1860 im Herzen des dicht bewohnten doch mittellosen Guillotière-Viertels entstand. Es waren erste Anzeichen des religiösen Erwachens, angesichts der erschreckenden Auswirkungen der industriellen Revolution. Sicherlich mehr symbolträchtig, doch auch geschichtsgeladen, die Weihe der neuen Statue der Muttergottes von Fourvière, durch Kardinal Bonald, am 8. Dezember 1852. Sie wurde zum Ausgangspunkt eines religiösen Brauches, der bis heute nicht an Einfluß verloren hat. Die unzähligen Kerzen und Lichter, die die Lyoner an jedem 8. Dezember ins Fenster stellen, erhellen auch heute noch die Stadt, auch wenn die Inbrunst, mit der das geschieht, nicht mehr ganz so desinteressiert ist.

Zum Schluß wollen wir noch einen Mann - und dann eine ganze Kategorie - festhalten, im Rahmen der zeitgenössischen Geschichte. Zunächst Edouard Herriot, der während dem, was einige seine «Herrschaft» genannt haben, d.h. während mehr als 50 Jahren (1905 - 1957) Oberbürgermeister von Lyon gewesen ist. In vielen Bereichen trägt Lyon heute noch deutlich seine Handschrift. Und dann natürlich die Wiederstandskämpfer, denen der Ruhm zukam, eine Zeit lang Lyon wieder den Titel einer Hauptstadt gegeben zu haben, der der Verweigerung der Naziherrschaft: «Lyon war die Hauptstadt eines schwerbeschädigten Frankreich», sollte Alban-Vistel schreiben, «sie verstand es, einen Rang einzunehmen, der ihrer mehrhundertjährigen Geschichte würdig ist.»

Le «Veilleur de Pierre», symbole du sacrifice des Résistants lyonnais. Ici le 27 juillet 1944, furent abattus cinq patriotes...

Der «Veilleur de Pierre» (steinerner Wächter) erinnert an die Opfer der Lyoner Widerstandsbewegung. Hier wurden am 27. Juli 1944 fünf Kompatrioten erschossen...

The «Veilleur de Pierre» symbol of the sacrifice of the Lyonnais resistants. On 27th July 1944, five compatriots were shot dead.

Péniches sur le Rhône: dans l'antique Lugdunum la corporation des "Nautes" bénéficiaient de la vitalité de l'île des "Canabae".
Frachtkähne auf der Rhône: im antiken Lugdunum hatten die Mitglieder der Berufsgenossenschaft der Flußschiffer auf der Canabae-Insel ihr Quartier.
Barges on the Rhône: in ancient Lugdunum the corporation of boatmen drew advantage from the vitality of the «Canabac» island.

GASTRONOMIE
DE LA CUISINE
UND
FROM CUISINE
AUX ARTS
SCHÖNE KÜNSTE
TO ARTS

En quoi, Lyonnais que nous sommes, serions-nous répréhensibles en nous ingéniant à placer côte à côte la cuisine et les arts? De quelles légèretés serions-nous taxés alors que l'un de nos hommes d'esprit les plus fins - né lyonnais, au sens large, en étant originaire de Belley dans l'Ain - définissait de la sorte, dans sa célèbre «Physiologie du goût», la «gastronomie»: elle est, écrivait-il, «la connaissance raisonnée de tout ce qui a rapport à l'homme, en tant qu'il se nourrit». Mais il mentionnait tous les rapports qu'elle entretenait avec «les Affaires»: «Cette observation, ajoutait-il, n'a pas échappé à ceux qui ont souvent à traiter les plus grands intérêts; ils ont vu que l'homme repu n'était pas le même que l'homme à jeun; que la table établissait une espèce de lien entre celui qui traite et celui qui est traité; qu'elle rendait les convives plus aptes à recevoir certaines influences...»

De telles caractéristiques ne pouvaient que coïncider avec le caractère lyonnais qui s'épanchait à la fois dans l'entretien feutré de relations de commerce et dans le culte du secret qui n'épargnait pas le savoir-faire culinaire: «...La ville, fidèle à sa tradition, est, dans ce domaine encore, écrit justement Pierre Mérindol, très jalouse de ses secrets. C'est pourquoi, sans doute, la révélation de ceux-ci a un caractère initiatique. Il faut voir avec quelle allure mystérieuse et quel air entendu les véritables lyonnais mettent l'eau à la bouche de leurs hôtes de passage

In wiefern wären wir Lyoner verwerflich, wenn wir mit aller Gewalt die Gastronomie neben die schönen Künste setzen wollen? Welche Leichtfertigkeiten würde man uns vorwerfen, wo doch einer unserer feinsten Geister - aus Lyon gebürtig, zumindest im weitesten Sinne des Wortes, denn er stammt aus dem Belley, im Département Ain - die Gastronomie, in seiner berühmten «Physiologie des Geschmackes» so definiert hat: sie ist, schreibt er, «die vernünftige Erkenntnis all dessen, was den Menschen, insofern er sich ernährt, angeht». Doch erwähnte er alle Zusammenhänge, die sie mit «dem Geschäftsleben» besitzt: «Diese Beobachtung», fügte er hinzu, «ist denen nicht entgangen, die sich oft mit den höheren Interessen zu beschäftigen haben; sie haben gesehen, daß ein satter Mensch und ein nüchterner Mensch nichts gemein haben; daß der Tisch eine Art Verbindung schafft zwischen dem, der verhandelt und dem, der das Thema der Verhandlung ist; daß er die Tischgenossen in die Lage vesetzt, gewissen Einflüssen besser ausgesetzt zu sein.»

Derartige Eigenschaften konnten dem Lyoner Charakter nichts als entgegenkommen, der sich so sehr in der feinvornehmen Unterhaltung von Geschäftsverbindungen, wie im Kult des Geheimnisvollen ergoß, was keineswegs ein kulinarisches Kennertum ausschloß: «Die Stadt hütet auch in diesem Bereich, ihrer Tradiotion getreu, strengstens ihre Geheimnisse»,

To what extent are we, Lyonnais, reprehensible in contriving to place side by side cuisine and arts? What fickleness would we be accused of when one of our most noble-minded men, born Lyonnais in the broadest sense of the word being from Belley (Ain) in his famous «Physiology of Taste» defined «gastronomy» «the reasoned knowledge of everything related to man in connection with food». But he mentioned all the relations it had with «Business» : «This observation,» he added, «has not escaped the attention of those who often have to treat the greatest interests ; they have understood that a man is not the same after a good meal or having gone without a meal ; that the table creates a sort of link between he who treats and he who is treated ; that it made guests more apt to receive certain influences».

Such characteristics could but coincide with the Lyonnais personality which exposed itself both in the muffled discussion of business relationships and in «the cult of the secret,which did not exclude the culinary savoirfaire». The town, faithful to its tradition is, once again, jealous of its secrets, writes Pierre Mérin. That is probably why their revelation takes on such an initiatic aspect. You should see with what mysterious airs and knowing looks real Lyonnais take on to make the mouths of their guests water when they decide to invite them to one of those feasts which might be just a sandwich or a banquet.

lorsqu'ils ont résolu de les convier à l'une de ces fêtes du goût que peuvent-être les simples casse-croûte comme les repas d'apparat.»

Comme il faut, en tout, définir une origine, à quels talents ou dons particuliers, à quels hommes les Lyonnais doivent-ils leur savoir-faire en cuisine? Mathieu Varille nous met l'eau à la bouche et le savoir en tête:

«...La cuisine lyonnaise s'est efforcée de demeurer à la hauteur de la réputation que lui avaient édifiée les aubergistes et les hôteliers d'antan.

Ils ont été aidés en cela par les pâtissiers et les rôtisseurs. Un érudit lyonnais, l'abbé A. Sachet, qui était un homme de goût, a raconté l'histoire de ces rôtisseurs. La communauté des Maîtres Poulaillers et Rôtisseurs, dont l'origine remonte fort loin, n'eut une existence légale qu'au XVIIᵉ siècle, et la sévérité dont elle entourait l'admission à la maîtrise était le sûr garant de la capacité de ceux qu'elle en jugeait dignes: apprenti pendant trois, quatre et même cinq ans, le futur rôtisseur passait compagnon après son examen. Demeuré quatre ou cinq ans compagnon, il devait faire un chef d'oeuvre, ordinairement un ragoût, pour passer maître. Il était alors autorisé à se mettre à son compte. Nul ne doute qu'alors cet homme dût savoir cuisiner...»[1]

L'abbé Sachet lui-même nous conte le prestige et la prospérité qui étaient ceux de cette corporation avant la Révolution:

«...Nous en avons la preuve dans un curieux portrait de Louis Dupré, dit Piraud, rôtisseur à la Poulaillerie de Saint-Nizier. Ce portrait, dessiné et gravé par Bouchet, graveur au burin à Lyon, au XVIIIᵉ siècle, est accompagné d'un sixain qui nous donne une idée de la popularité qu'avait alors la corporation des rôtisseurs:

«Ce portrait de Piraud ressemble au grand Gustave,
De tous les héros le plus brave.
Mais si, de ce guerrier, les exploits immortels
Ont fait périr tant de mortels, Le

schreibt mit Recht Pierre Mérindol. Deswegen hat deren Preisgabe wohl auch den Charakter einer Initiation. Man muß es erlebt haben, mit welch mysteriöser Hingabe und welchen verständnisvollen Blicken die echten Lyoner ihren Gästen das Wasser im Munde zusammenlaufen lassen, wenn sie beschlossen haben, sie zu einem dieser Feste des Wohlgeschmacks einzuladen, ob es sich dabei nun um einen simplen Imbiß oder ein prunkvolles Mahl handelt.

Da man für alles einen Ursprung definieren muß, stellt sich die Frage, welchem Talent, welcher außergewöhnlichen Gabe, ja eben wem denn nun die Lyoner ihr Küchen-Knowhow verdanken? Mathieu Varille läßt uns das Wasser im Munde und die Ströme der Erkenntnis im Kopfe zusammenlaufen:

«Die Gastronomie hat sich in Lyon bemüht, stets auf der Höhe des Ruhmes zu bleiben, die die Wirte und Hôteliers von einst erklommen hatten. Dabei wurden sie von den Bäckern und Rotisseuren unterstützt. Der Abbé Sachet, einer der besten Kenner der Lokalgeschichte und ein Mann des guten Geschmacks, hat die Geschichte dieser Rotisseurs (Grillköche) erzählt. Die Zunft der Poularden- und Grillköche deren Ursprung sich in der Geschichte verliert, gab sich erst im 17. Jahrhundert einen legalen Rahmen, und die Strenge, mit der die Anwärter auf den Meistertitel ausgesucht wurden, war der sichere Garant dafür, daß die, die für würdig empfunden wurden, auch wirklich von ausgesuchter Fähigkeit waren: Nach einer Lehre von drei, vier oder fünf Jahren wurde man, nach der bestandenen Prüfung zum Rotisseur-Gesellen. In diesem Stande verblieb man weitere vier bis fünf Jahre und mußte dann sein Meister-Werk vollenden, meist ein Ragout. Der neue Meister konnte sich dann selbständig machen. Und es steht außer Zweifel, daß *der* Mann dann kochen konnte.» (1)

Der Abbé Sachet berichtet selbst vom Prestige und Wohlstand der Mit-

Since an origin should be defined in everything, to what talents or particular gifts, to whom do the Lyonnais owe their culinary know-how. Mathieu Varille brings water to our mouths and knowledge to our mind: «The Lyonnais cuisine has endeavoured to remain at the height of the reputation that keepers and hoteliers of the past had bestowed upon it.

They were assisted in this by the bakers and restaurants. A learned priest from Lyons, A. Sachet, who was a man of taste, tells the story of these restaurants. The Community of Master Poulterers and Restaurant Holders, whose origin dates back a long time ago, did not have a legal existence until the 17th century and the strict rules concerning admission to the mastership were the sure guarantee of the quality of those considered worthy of admission: apprenticed during three, four or even five years, the future «rôtisseur» became a member of the trade guild after his examination. After four or five years as a journeyman, he was bound to produce a masterpiece, generally a stew, in order to become a master. Only then was he authorized to set up business on his own. No one could doubt that the man really knew how to cook now» (1)

Father Sachet himself tells us of the prestige and the prosperity of the members of this corporation before the Revolution: «We have the proof», says Piraud, «in a curious portrait of Louis Dupré, rôtisseur at the Poultery market of Saint-Nizier. This portrait, sketched and engraved by Bouchet, engraver in Lyon, during the 18th century, is accompanied by a six-line stanza which gives us some idea of the popularity the corporation of rôtisseurs had at that time:

«This portrait by Piraud resembles the great Gustave, of all the heroes the most brave.
But if the immortal exploits of this warrior have caused the death of so many mortals

Paul Bocuse, porte-drapeau international de la gastronomie lyonnaise, et le bistrot «Chez Mimi», décoré de plaques en émail, rendez-vous des artistes et symbole de la convivialité lyonnaise.

Paul Bocuse, der international anerkannte Wortführer der Lyoner Gastronomie, und das Bistro «Chez Mimi», mit seinen vielen Emailtafeln, Treffpunkt der Künstler und Symbol der Lyoner Gastlichkeit.

Paul Bocuse, international standard-bearer of the gastronomy of Lyons and the bistrot «Chez Mimi», decorated with enamel plaques, the meeting place of artists and symbol of Lyonnais conviviality

grand Piraud a sur eux l'avantage
        D'avoir souvent causé
d'agréables carnages.» (2)

Or ces rôtisseurs, à la fin du XVIIIe siècle, nous précise Mathieu Varille, «devinrent les traiteurs, pères de nos restaurateurs d'aujourd'hui.» Le temps passant, ils en sont presque, de nos jours, les ancêtres, mais ô combien vénérables. De plus, il y a là toute une lignée qui s'est inspirée des bons principes de la «Cuisinière bourgeoise» qu'Amable Leroy, de Lyon, publiait en 1783, et a créé, pendant plus d'un siècle, des chefs-d'oeuvre culinaires: «le poulet Célestine, du Café du Cercle, rue Bourbon; les cuisses d'oies grillées à la lyonnaise, la matelote d'Oullins au poisson de Saône, le brochet au bleu, la soupe mitonnée, la queue de boeuf en hochepot, et tous ces plats dits à la lyonnaise, le ris de veau, le cochon de lait, les filets de truite, les pommes de terre, le gras-double, j'en oublie et des meilleurs...»

Quant à l'exercice de cet art à l'usage du particulier il s'entoura d'un décorum inimitable et inimité. Stendhal, même s'il manifesta un certain mépris à n'attribuer que ce mérite à Lyon, reconnaissait: «...On y mange admirablement et, selon moi, mieux qu'à Paris. Les légumes surtout y sont divinement apprêtés. A Londres, j'ai appris que l'on cultive 22 sortes de pommes de terre: à Lyon, j'ai vu 22 manières de les apprêter, et 12 au moins de ces manières sont inconnues à Paris.»

Stendhal se prit enfin au jeu de raconter l'une de ses soirées: «A l'un de mes voyages, M. Robert de Milan, négociant, ancien officier, homme de coeur et d'esprit, acquit des droits éternels à ma reconnaissance en me présentant à une société de gens qui savaient dîner. Ces messieurs, au nombre de 10 ou 12, se donnaient à dîner quatre fois la semaine, chacun son tour. Celui qui manquait un dîner payait une amende de douze bouteilles de vin de Bourgogne. Ces messieurs avaient des cuisinières et non des cui-

glieder dieser Zunft vor der Französischen Revolution: «Den Beweis dafür gibt uns das eigenartige Portrait von Louis Dupré, alias Piraud, Rôtisseur in der Poulaillerie bei St. Nicasius. Diesem Portrait, einem Stich des Lyoner Steinschneiders Bouchet, aus dem 18. Jahrhunderts, ist ein Sechszeiler beigegeben, der uns eine Idee vermittelt von der damaligen Popularität der Zunft der Rotisseur:

«Dies Porträt von Piraud ward nach Gustav erstellt,
   Von allen den Braven der tapferste Held.
   Doch sind dieses Kriegers Glanzleistungen allen
   Hinieden der Sterblichen viele verfallen,
   Piraud dem Großen gebührt der beste Anteil,
   Denn er bot sehr oft oft nur Schlacht-Essen feil.»(2)

Aus diesen Rotisseuren wurden, am Ende des 18. Jahrhunderts, die «Traiteurs» (Lieferanten von Fertigmenüs), die Väter der Restaurateure unserer Tage. Diese ehrwürdigen Vorfahren verdienen wahrlich, daß wir ihrer gedenken. Neben ihnen existiert noch die lange Reihe derer, die ihre Inspiration dem berühmten Kochbuch für die Hausfrau, «La Cuisinière bourgeoise», das Amable Leroy, ein Lyoner, 1783 veröffentlicht hat, entnahmen. Mehr als ein Jahrhundert lang entstanden so wahre kulinarische Meisterwerke: das Hühnchen «Celestine», im Café du Cercle, rue Bourbon; gegrillte Gänsekeulen à la Lyonnaise, Fischragout «Oullins» (*ein Vorort Anm. des Ü.*) mit Saônefischen, Hecht mit Blauschimmelkäse, auf kleiner Flamme gekochte Suppe, Ochsenschwanz, und all die anderen Lyoner Genüsse, Kalbsbries, Milchferkel, Forellenfilet, Erdäpfel, Kaldaunen usw., und ich vergesse noch die besten.» (*All diese Gerichte sind ebenso unübersetzbar ... wie kostbar; Anm. des Ü.)*

The great Piraud has the advantage over them to have often caused pleasant carnage» (2)

Mathieu Varille informs us that by the end of the 18th century these «rôtisseurs» «became caterers, the fathers of our restaurant holders of today». As time went by, they have indeed become the ancestors, but how venerable. In addition there is a whole line of descendants who drew their inspiration from the excellent principles contained in «Cuisinière bourgeoise» which Amable Leroy, of Lyons, published in 1783, and created for over a century culinary masterpieces : the «poulet célestine» of the Café du Cercle, rue Bourbon ; grilled goose legs à la Lyonnaise ; fish stew of Oullins with fish from the Saône, pike «au bleu», simmered soup, oxtail hochepot, and all those dishes called «à la Lyonnaise» sweetmeets, sucking pig, trout fillets, potatoes, tripes, and I'm sure I forget many others».

As for the practice of this art for individuals, it became surrounded with an inimitable and inimited decorum. Stendhal, even if he showed a certain disdain in attributing only this merit to Lyons, admitted that «one eats remarkably well in Lyons, and in my opinion, even better than in Paris. The vegetables in particular are divinely prepared. In London I learned that there are 22 kinds of potatoe: in Lyons, I saw 22 ways of preparing them and 12 at least of these preparations are unknown in Paris.» Finally, Stendhal got caught at his own game and explained in detail one of his evenings:

«During one of my journey, Mr Robert de Milan, merchant, ex-officer, a good-hearted witty man, gained eternal rights to my thanks in presenting me to a society of people who know how to dine. These gentlemen, 10 or 12 in number, gave a dinner four times a week in turns. If a member missed a dinner, he paid a fine of twelve bottles of Burgundy wine. These gentlemen had lady cooks, not male

Sous le portrait de la Mère Brazier, sa petite fille perpétue la tradition des «Mères lyonnaises», et le «bouchon» «A la Voûte d'Ainay», le plus ancien de Lyon, symboles d'une gastronomie aussi populaire que chaleureuse.

Unter dem Porträt der Mère Brazier führt deren Enkelin die Tradition der «Mères Lyonnaises», im Mutterland der guten Küche, weiter. Daneben gibt es die berühmten «Bouchons», wie hier den ältesten «A la Voûte d'Ainay», wahre Symbole einer Volks-Gastronomie.

Beneath the portrait of Mère Brazier, her grand-Daughter continues the tradition of the «Mère Lyonnaise» and the little restaurant «A la Voûte d'ainay», the oldest in Lyons, symbols of a popular and friendly gastronomy.

siniers. A ces dîners, point de politique passionnée, point de littérature, aucune prétention à montrer de l'esprit, l'unique affaire était de bien dîner. Un plat était-il excellent? On gardait un silence religieux en s'en occupant. Du reste, chaque plat était jugé sévèrement et sans complaisance aucune pour le maître de la maison. Dans les grandes occasions on faisait venir la cuisinière pour recevoir les compliments, qui souvent, n'étaient pas unanimes. J'ai vu, spectacle touchant, une de ces filles, grosse maritorne de 40 ans, pleurer de joie à l'occasion d'un canard aux olives: soyez convaincus qu'à Paris nous ne connaissons que la copie de ce plat-là !»[3]

Ne ferions nous pas, cependant, fausse route en essayant de convaincre notre monde que les nobles plats étaient l'apanage du Lyonnais? Que signifie d'ailleurs la noblesse en ce domaine, lorsqu'il importe avant tout à notre modeste canut d'avoir pain sur table, ce qui ne l'empêche pas de posséder ses recettes, voire ses «spécialités». Edouard Herriot, peu avant la guerre - la «Grande», celle de 14 -, eut l'occasion d'évoquer, dans un de ses discours, qu'il «mitonnait» avec une aisance remarquable, les plats de Guignol qui, précisait-il, «sont de pauvres plats»: «La soupe de farine jaune, les gratons, le fromage fort, la cervelle de canut, les matefaims, les bugnes qu'on achète à la vogue, la salade de groins d'âne avec des z'harengs, la crasse de beurre, la tripaille et les paquets-de-couenne»...

Pauvres plats? Austère, convenons-en, mais pourquoi le canut aurait-il à rougir de son ordinaire? Aux jours de fête il prenait des allures d'excellence culinaire: «Mets aussi pauvres en eux-mêmes qu'affectivement riches en tant que signes où se reconnaît traditionnellement toute la profession et pourvus de cette saveur que donne un appétit trop souvent rédimé»[4] Goûtons à la salade de clapotons (des pieds de mouton) avé des transons de fège (tranches de foie cuit),

Was nun die Ausübung dieser Kunst durch den normalen Bürger betrifft, so umgab sie sich mit einem unnachahmlichen und auch nie kopierten Zeremoniell. Sogar Stendhal, der sich herabließ Lyon nur diesen Verdienst zuzusprechen, mußte anerkennen: «Man ißt hier bewundernswert gut, und meiner Meinung nach, besser als in Paris. Vor allem die Gemüse werden hier auf göttliche Weise zubereitet. In London habe ich erfahren, daß 22 Kartoffelsorten angebaut werden: in Lyon habe ich 22 Arten gesehen, sie zuzubereiten, und mindestens 12 davon sind in Paris unbekannt.» Und Stendhal konnte sich der Versuchung nicht entziehen, einen dieser Abende zu schildern: «Am Ende meiner Reisen erwarb sich Monsieur Robert de Milan, Händler und ehemaliger Offizier, ein Mann voller Geist und Herz, das Anrecht auf meine ewige Dankbarkeit, indem er mich einer Gesellschaft aus Leuten, die zu dinieren verstanden, vorstellte. Diese Herren, 10 oder 12 an der Zahl, luden sich der Reihe nach viermal die Woche zum Diner ein. Versäumte jemand ein Diner, so zahlte er 12 Flaschen Burgunderwein als Strafe. Diese Herren hatten keine Köche, sondern Köchinnen. Bei diesen Diners ging es keinesfalls um leidenschaftliche Politik, keinesfalls um Literatur, war niemand bedacht, Geist zu zeigen, es ging einzig und allein darum, gut zu dinieren. War ein Gericht hervorragend? Man nahm sich seiner in religiösem Schweigen an. Ansonsten wurde jedes Gericht streng und ohne jede Nachsicht für den Herrn des Hauses beurteilt.

Bei großen Anlässen ließ man dann die Köchin kommen, um ihr Komplimente zu machen, die oft nicht einstimmig ausfielen. Ich habe einmal das rührende Schauspiel einer dieser Mädchen erlebt, ein rundes Mamutchen von 40 Jahren, daß, wegen einer Gans auf Oliven, vor Freude weinte: seien Sie versichert, daß wir in Paris nur den Abklatsch dieses Gerichtes kennen!»[3]

ones. At those dinners no heated politics, no literature, no intention of showing any wit. The sole aim was to enjoy the dinner. Was a dish excellent? A religious silence reigned while we were eating. Each dish was judged severely and without any complaisance for the master of the house. On important occasions, the cook was called in to receive compliments, which often were not unanimous. I saw the touching example of one of these ladies, a fat woman of 40, cry with joy for a «canard aux olives»: you can be sure that in Paris we only know a pale copy of that dish! »[3]

But we would be wrong in trying to convince our friends that noble dishes were the Lyonnais prerogative. Besides, what does noblesse mean in this context when the most important thing for a modest silk weaver was to have bread on his table, which did not prevent him from having his own recipes, or even «specialities». Edouard Herriot, shortly before the «Great» war, that of 1914, in one of the speeches he «concocted» with such remarkable ease, had the opportunity of recalling Guignol's dishes which, he pointed out «are poor dishes»: «the Soupe de Farine jaune, the grattons (greaves), the strong cheeese, the «cervelle de canut» (cottage cheese), the matefaims, the bugnes, the salad de groins d'âne avec des z'harengs, the crasse de beurre, the tripaille (offals) and the «paquets-de-couenne

Poor dishes? Austere, it is true, but why should the «canut» have to be ashamed of his everyday lot? On feast days, it took on an air of culinary excellence: «Dishes as poor in themselves as affectively rich in signs in which the whole profession could identify itself and having that savour given by a too often redeemed appetite»[4]. Let's taste the salad of sheeps trotters, slices of cooked liver, tripe, and of course greaves «the unmelted fried residue left after the pork fat has been rendered». For the dessert you will enjoy some cottage cheese, also called «canut's

Que ce soit au marché du quai St. Antoine ou aux halles de la Part-Dieu, la qualité des produits contribue au renom de la gastronomie.

Die Qualität der verwendeten Produkte trägt mit bei zum Ruf der hiesigen Gastronomie. Man findet sie auf dem Markt am Quai St. Antoine oder auch in den Markthallen der Part-Dieu.

Whether at the market of Quai St Antoine or in the covered market of La Part-Dieu, the quality of the products contributes towards the fame of the gastronomy.

à la panserotte (ou gras-double), et bien sûr aux gratons, «résidus grillés et rissolés de la graisse de porc fondue»... Pour le dessert, vous vous régalerez du claqueret, un fromage blanc, aussi appelé «cervelle de canut», dont Nizier du Puitspelu ne taisait aucun secret dans ses «Vieilleries lyonnaises»: «On bat le claqueret comme si c'était sa femme; on y met de sel, de poivre, de chaliotes (échalotes), de fines herbes, et on le pique d'ail à regonfle (en abondance), à celle fin de se tenir la bouche fraîche toute la journée.» Surtout si vous la rincez ensuite d'un honnête beaujolais...

Nous laisserons radisse (brioche) et autres craquelins (gâteaux secs) à la ferveur de votre palais, sans vous livrer de recettes que d'éminents spécialistes vous fourniront mieux que nous. Même en revenant à des plaisirs - de table - plus mondains, dont Brillat-Savarin, dans sa «Physiologie du Goût», n'omettait pas de disséquer les composantes en prenant, pour illustration, le personnage du chevalier de Langeac. Un gentilhomme fortuné qui «avait, à Lyon, une existence agréable dans la meilleure des sociétés, car l'expérience lui avait donné de l'ordre. Or la gourmandise s'était enrichie de la perte de ses autres penchants; on peut dire qu'il en faisait profession, et comme il était d'ailleurs fort aimable, il recevait tant d'invitations qu'il ne pouvait y suffire.» Quel meilleur terrain pouvait-il trouver?: «Lyon est une ville de bonne chère, précise Brillat-Savarin; sa position y fait abonder avec une égale facilité les vins de Bordeaux, ceux de l'Ermitage et ceux de Bourgogne; le gibier des côteaux voisins est excellent; on tire des lacs de Genève et du Bourget les meilleurs poissons du monde; et les amateurs se pâment à la vue des poulardes de Bresse dont cette ville est l'entrepôt. Le chevalier de Langeac avait donc sa place marquée aux meilleures tables de la ville...»

Et, nonobstant les péripéties auxquelles, ensuite, le sieur de Langeac sera confronté, nous savons au

Befänden wir uns aber nicht auf dem Holzwege, wenn wir versuchen würden zu erklären, daß der Lyoner nur edle Gerichte genoß? Und was bedeutet übrigens das Wort Adel in diesem Bereiche, wenn es vor allem darum geht, daß unser bescheidener Weber Brot auf dem Tisch hat, was ihn nicht hindert, auch über seine Rezepte, oder gar Spezialitäten zu verfügen. Kurz vor dem Kriege - dem «großen», dem von 14 - 18, hatte Edouard Herriot die Gelegenheit, in einer seiner Ansprachen, die er mit einer beachtenswerten Leichtigkeit «zubereitete», die Gerichte von Guignol zu erwähnen, die, so präzisierte er «arme Gerichte» sind: Suppe aus gelbem Mehl, Gratons (siehe weiter unten), Starkkäse, Webergehirn siehe weiter unten), Pannkauken, das Ölgebäck, das man auf der Kirmes kauft, Eselskopfsülze mit Heringen, Butterkrätze, diverse Eingeweide und Speckschwarten.

Arme Gerichte? Geben wir zu, sie sind karg, doch warum sollte der Weber vor seinem alltäglichen Mahl erröten? An Feiertagen gab er sich den Anschein der kulinarischen Vortrefflichkeit:

«Die Gerichte waren in sich selbst ebenso arm wie sie reich an Gefühlen waren, als Zeichen, in denen sich traditionsgemäß der gesamte Berufsstand wiedererkennt und versehen mit dem Wohlgeschmack, den ein allzu oft gezügelter Appetit verleiht.»[4] Genießen wir also den Holterdipoltersalat (aus Schafsfüßen), mit Scheiben gekochter Leber angereichert, den Pansen und natürlich die «Gratons» (die gerösteten und goldbraun gebackenen Reste des geschmolzenen Schweinefetts). Und zum Nachtisch gibt es einen herrlichen «Claqueret», eine Art Quark, auch «Webergehirn» genannt. Nizier du Puitspelu verschwieg in seien «Vieilleries Lyonnaises» keines seiner Geheimnisse: «Man schlägt den Claquerait, als sei es sein eigenes Weib; man gibt Salz, Pfeffer, Schalotten, feine Kräuter und schließlichg recht großzügig Knoblauch hinzu, mit dem

brains» and of which Nizier du Puitspelu revealed all the secrets in his «Vieilleries Lyonnaises». «You beat the cottage cheese as though it were your wife ; add salt, pepper, shalotts, herbs and plenty of swollen garlic, so as to keep your breath fresh all day». Especially if you rince it down with a good Beaujolais!

We shall leave brioche and other biscuits to the fervour of your palate, without revealing the receipes that eminent specialists will be more apt than us to give you. But to come back to the pleasures of the table of a certain society of which Brillat-Savarin in his «Physiology of Taste» did not fail to dissect the components in taking as an illustration the Knight of Langeac, a rich gentleman who «lead a most agreable life in Lyons, moving in the best circles, as experience had taught him a sense of tidiness. He had become above all a gourmet, to such an extent that it can be said that he made a profession of it and, since he was a pleasant man, he received so many invitations that he could not answer them all. «What better ground could he find? : Lyons is a town where the food is good, explains Brillat-Savarin ; its position supplies in equal abundance the wines of Bordeaux, those of the Ermitage and those of Burgundy ; the game from the neighbouring hills is excellent and the fish from the lakes of Geneva and Le Bourget are the best in the world; and amateurs simply faint at the sight of the Bressan chickens of which this town is the warehouse. So the Chevalier de Langeac had his place reserved at the best tables of the town».

And, notwithstanding the many mishaps Mr de Langeac was to undergo later, at least we know what rank Lyons held in the 1780s. But a few years were to go by before the town, at last might we say, received the title that really suited it. Here are the circumstances: «The fair of Lyons, which apart from its large Spring Fair organized at that time a regional and folkloric exhibition every Autumn, had the

Deux traditions dans la ville: le cardon, légume lyonnais par excellence et la dégustation aux halles de la Part-Dieu.

Zwei alte Traditionen der Stadt: die Kardone, das Lyoner Gemüse schlechthin, und das Verkosten in den Markthallen der Part-Dieu.

There are two traditions in the city: the cardoon, a Lyonnais vegetable par excellence and the tasting at the Part-Dieu covered market.

moins de quel rang, en ces années 1780, se parait déjà Lyon. Il faudra patienter quelque peu pour que cette ville reçoive - enfin, dirons-nous- le juste titre qui lui convenait. Voici dans quelles circonstances: «La foire de Lyon qui, outre sa grande foire de printemps, organisait à cette époque, chaque automne, une exposition régionale et fokflorique, eut la géniale initiative d'innover, du 12 au 17 novembre 1934, des journées de la cuisine lyonnaise avec le concours des cordons bleus et des maîtres queux de la région. Le syndicat des restaurateurs et le comité des fêtes de la ville de Lyon, qui assuraient eux aussi le succès de cette semaine gastronomique, demandèrent tout naturellement à Curnonsky de la présider. Autour du prince des gastronomes, outre des Lyonnais illustres de la littérature comme Pierre Scize, Marcel E. Grancher, le Dr Edmond Locard, Tancrède de Visan, la foire de Lyon accueillit toute une délégation de la presse gastronomique de ces années folles avec, notamment, le Dr André Robine, président des «purs cent», Florent Fels, directeur de «Voilà», Maurice des Ombiaux, de l'Académie des gastronomes, Gaston Derys, Paul Reboux, Romain Coolus et Pierre Rocher. Ce fut à l'apothéose de ces fastueuses journées que Curnonsky consacra officiellement:

«LYON, CAPITALE MONDIALE DE LA GASTRONOMIE»[5]

Le titre était décerné, par celui que l'on appelait le «prince des gastronomes, Curnonsky. Celui-ci, de son vrai nom Maurice Sailland, bien connu du Tout-Paris pour sa rondeur et son coup de fourchette, pour son talent mis au service de la «gastronomade» (ce néologisme était de lui), n'était pas lyonnais (il était né à Angers en 1872) mais il avait toutes les raisons pour effectuer, périodiquement, des séjours fructueux en cette cité où il comptait bon nombre d'amis. Laissons le soin - il lui revient de droit - à Curnonsky d'écrire ces mots de la faim - pardon,

Zwecke, den ganzen Tag über ein frisches Maul zu haben.» Und das besonders, wenn man dieses anschließend mit einem ordentlichen Beaujolais ausspült.

Wir überlassen die «Radisse» (Brioche) und sonstige «Craquelins» (vor Kargheit krachende Kekse) der Gunst Ihres Gaumens, ohne die Rezepte feilzugeben, die eminente Spezialisten Ihnen viel besser ausliefern werden als wir. Doch kehren wir zurück zur feinen Gesellschaft und deren Tafelfreuden, deren Komponenten Brillat-Savarin in seiner «Physiologie des Guten Geschmacks» wohlweislich seziert hat. Als Illustration diente ihm dabei der Ritter von Langeac. Ein reicher Edelmann «führte in Lyon ein angenehmes Leben in der besten Gesellschaft, denn die Erfahrung hatte ihm die Ordnung gelehrt. Und seine Eßlust hatte sich am Verlust seiner anderen Neigungen bereichert; man kann sagen, er habe sie zum Beruf gemacht. Und da er darüber hinaus sehr liebenswürdig war, erhielt er so viele Einladungen, daß er ihnen nicht nachkommen konnte.» Hätte er ein besseres Gelände finden können? «Lyon ist eine Stadt des guten Essens», präzisiert Brillat-Savarin; dank ihrer Lage findet man hier im gleichen Überfluß die Weine aus Bordeaux, aus der Ermitage und aus Burgund; das Wild der nahen Hügel ist hervorragend; aus dem Genfer See und dem Lac du Bourget stammen die besten Fische der Welt; und seine Anhänger vergehen beim Anblick der Poularden aus der Bresse, die in dieser Stadt gelagert werden. Der Ritter von Langeac hatte also seinen angestammten Platz an den besten Tischen der Stadt.»

Und trotz aller Wendungen, die das Leben dem Herren aus Langeac noch vorbehielt, wissen wir zumindest, auf welchen Rang das Lyon der 80er Jahre des 18. Jahrhunderts stolz sein konnte. Es bedurfte ein wenig Geduld, bis diese Stadt - endlich, würden wir sagen - den Titel erhielt, der ihr zustand. Und das geschah so: «Die Lyo-

ingenious idea of organizing several days, from the 12th to the 17th November 1934, dedicated to the Cuisine of Lyons with the assistance of local cordon-bleus and chefs. The restaurateurs' Trade Union and the Festivities Committee of the City of Lyons who were also responsible for the success of this gastronomical week naturally asked Curnonsky to preside over it. Around this famous gastronome, and apart from other Lyonnais famous for their writing such as Pierre Scize, Marcel E. Grancher, Dr Edmond Locard or Tancrède de Visan, the Fair of Lyons welcomed a whole delegation from the gastronomical press of the 30s with, in particular, Dr André Robine, Chairman of the «Purs cent», Florent Fels, Director of «Voilà», Maurice des Ombiaux from the Académie des Gastronomes, Gaston Derys, Paul Reboux, Romain Coolus and Pierre Rocher. It was at the height of these extraordinary days that Curnonsky officially consecrated :

«LYONS, THE WORLD CAPITAL OF GASTRONOMY».[5]

The title was awarded by Curnonsky, otherwise known as «the Prince of the Gastronomes». His real name was Maurice Sailland and he was well known in Paris for his round silhouette and solid appetite and for his talent used in the service of «gastronomade» (word he invented himself). He was not from Lyons, but was born in Angers in 1872. However he had every good reason for rewarding stays in Lyons from time to time where he had a good many friends. But let us leave it to Curnonsky, who is entitled to finish our gourmande composition :

«From their town, we gather an impression of work, order and probity of thought, serious power, something like the sovereign nobility and the calm and sureness that emanate from a painting by Ingres or by their great Puvis de Chavannes. It is pecisely that probity and moderation that I like to find in the honest, healthy Lyonnaise cuisine. I remember having written

Rue Mercière à midi: les tables des
bouchons et des bistrots envahissent la rue.
In der Rue Mercière zur Mittagszeit: die
Tische der «Bouchons» und Bistros stehen
bis auf die Straße.
Rue Mercière at lunch time: the tables of
small restaurants and «bistrots» fill the
streets.

A "La Gerbe d'Or": une enseigne chère à
Henri Béraud.
«La Gerbe d'or», die goldene Garbe, eines
der von Henri Béraud hochgeschätzten
Aushängeschilder.
«La Gerbe d'Or»: a sign dear to the heart of
Henti Béraud.

de la fin - pour clore notre gourmande dissertation :

« ...De leur ville se dégage une impression de travail, d'ordre et de probité, de puissance réfléchie et sérieuse, quelque chose comme la souveraine noblesse, comme la sérénité et la sûreté qui émanent d'un tableau d'Ingres ou de leur grand Puvis de Chavannes. C'est cette probité, ce goût de la mesure, que j'aime à retrouver dans l'honnête et saine Cuisine lyonnaise. Il me souvient d'avoir écrit quelque part cette phrase, que l'on a beaucoup redite ou recopiée depuis: la caractéristique commune de l'Art grec et de l'Art français, c'est qu'ils ne visent jamais à l'effet. La cuisine lyonnaise participe de l'Art français, justement en ce qu'elle ne fait jamais d'effet. Elle ne pose pas, elle ne sacrifie pas à la facile éloquence. Elle atteint, tout naturellement et comme sans effort, ce degré suprême de l'Art: la Simplicité. »

PEINTRES ET ECRIVAINS

Curnonsky, en assimilant la cuisine lyonnaise à l'Art - avec un «A» majuscule - nous offre la transition avec les peintres et écrivains lyonnais que nous avons voulu distinguer.

Sur notre palette, comment ignorer Hippolyte Flandrin (1808-1864) - et ses frères, Paul et Auguste. Mais le premier retint à lui la célébrité, qu'il n'avait, certes, pas volée. Cet élève d'Ingres put révéler, au contact et sous la direction de ce maître, le talent du dessinateur qui le transforma peu à peu, et après une expérience italienne au cours de laquelle il découvrit l'un des créateurs de la peinture occidentale moderne, Giotto di Bondone, en décorateur de lieux sacrés. Ce Lyonnais fit d'admirables compositions murales (à Saint-Martin d'Ainay pour ce qui concerne Lyon) mais Hyppolite Flandrin fut aussi un portraitiste dont les réalisations confirmaient l'étendue

ner Messeleitung, die neben der großen Frühjahrsmesse zu dieser Zeit in jedem Herbst eine regionale und Folklore-Ausstellung organisierte, hatte die geniale Idee, vom 12. bis 17. November 1934 die «Tage der Lyoner Küche» einzuführen, unter der Schirmherrschaft und aktiven Beteiligung der größten Küchenchefs der Gegend. Die Berufsgenossenschaft der Restaurateure und das Festkomitee der Stadt Lyon, denen auch am Gelingen dieser Gastronomischen Woche gelegen war, baten ganz selbstverständlich den großen Curnonsky, diese Veranstaltung zu präsidieren. Dem Prinzen der Gastronomen standen, neben den berühmten Schriftstellern der Stadt, Pierre Scize, Marcel E. Grancher, Dr. Edmond Locard und Tancrède de Visan, eine wahre Delegation der gastronomischen Presse dieser verrückten Jahre, unter ihnen vor allem Dr. André Robine, der Präsident der «Purs Cent», Florent Fels, Direktor der Zeitschrift «Voilà», Maurice des Ombiaux, von der Akademie der Gastronomen, Gaston Derys, Paul Reboux, Romain Coolus und Pierre Rocher auf dem Lyoner Messegelände tatkräftig zur Seite. Als absoluter Höhepunkt dieser prachtvollen Tage verlieh Curnonsky offiziell den Titel:

«LYON, WELTHAUPTSTADT DER GASTRONOMIE»[5]

Der Titel wurde vergeben von dem, den man den Prinzen der Gastronomen nannte, Curnonsky. Dieser, der eigentlich Maurice Sailland hieß, war im Tout-Paris bekannt für seine vollen Rundungen und dafür, daß er gut zulangen konnte. Er stellte sich ganz in den Dienst der «Gastronomadie» (der Neologismus stammte von ihm). Und er selbst stammte zwar nicht aus Lyon, er hatte vielmehr 1872 in Angers das Licht der Welt erblickt, doch hatte er allen Grund, in regelmäßigen Abständen in dieser Stadt, in der er viele Freunde zählte, fruchtbare Augenblicke zu verbringen. Überlassen wir ihm das Wort - es steht ihm ja zu - am Ende dieser genußvollen Zuberei-

somewhere that phrase which has often been repeated or recopied since then : the characteristic common to Greek Art and French Art is that they never try to make a point. The Lyonnais cuisine is an integral part of French Art, precisely because it doesn't make any impression, it does not not sacrifice everything to easy eloquence. In naturally reaches and as through it were with no effect, this supreme degree of Art: Simplicity»

«ARTISTS AND AUTHORS»

Curnonsky in assimilating the cuisine of Lyons with Art - with a capital A - offers us the transition with the painters and writers of Lyons who we wanted to distinguish.

On our palette, how could we ignore Hyppolyte Flandrin (1808 - 1864) - and his brothers Paul and Auguste. But the former gained the fame that he certainly deserved. Under the direction and in contact with his master, Ingres, his talent as a sketcher gradually transformed him into a decorator of sacred places after gaining some experience in Italy where he discovered one of the creators of modern Western painting, Giotto di Bondone. The painter did some magnificent mural compositions (at Saint Martin d'Ainay, for Lyons), but Hyppolite Flandrin was also a remarkable portraitist, the works of whom confirm his wide possibilities.

Puvis de Chavannes, born in Lyons in 1824 was to cultivate two virtues, or two defaults, as the late but confident vocation and a taste for independence which brought him to ignore contrary or parallel currents. «Ex pupil - of Delacroix and Couture, (...) he will be the greatest decorator of his time, covering huge surfaces all over France. His range : «An art of dream, of silence, of slow movement, of peaceful beauty.» His leitmotiv : order. «I am convinced», he said, «that the best ordered conception is also the most beautiful. I like order because I have a passionate love of clearness.» Puvis triumphs through his sense of space and his taste for simplification.

«Chez Mimi» rue St. Jean et au «Café du Rhône» l'art a aussi sa place.

Im «Chez Mimi», in der Rue St. Jean, und im «Café du Rhône» hat die Kunst auch ihren Platz.

Art also has its place **«Chez Mimi»,** rue St-Jean and at the «Café du Rhône».

de ses possibilités.

Puvis de Chavannes, né à Lyon en 1824, cultivera deux vertus - ou deux défauts, c'est selon -: la vocation tardive mais confiante et le goût de l'indépendance qui le faisait ignorer les courants contraires ou parallèles. «Ancien élève de Delacroix et de Couture (...) il sera le plus grand décorateur de son temps, couvrant des surfaces énormes dans toute la France. Son registre: «Un art de rêve, de silence, de lents mouvements, de beauté pacifique.» Son leitmotiv: l'ordre . «Je suis convaincu, disait-il, que la conception la mieux ordonnée se trouve en même temps la plus belle. J'aime l'ordre parce que j'aime passionnément la clarté.» Puvis triomphe par son sens de l'espace, son goût de la simplification. Avec lui, le mur n'est jamais encombré, il «respire».[6] Bien que vastes, il disait de ses compositions: «J'ai essayé de dire le plus possible en peu de mots.» Celui qui peignit, célèbrement, pour le Palais Saint-Pierre de Lyon, «Le Bois sacré cher aux Arts et aux Muses», ne se classait ni parmi les romantiques, les classiques, réalistes et autres impressionnistes. Ignorant les écoles, Puvis de Chavannes «fut lui, rien que lui».

La grandeur de l'artiste, la grandeur tout court, ne sauraient nous faire passer sous silence les humbles, mot qui n'est pas ici pris dans un sens péjoratif. Non. Humbles parce que leur destin ne les a pas hissés au pinacle ou s'est ingénié à leur faire seulement goûter le fruit de la renommée. Nous faisons allusion, en particulier, à «une famille de peintres coloristes qui se complaisaient à poursuivre dans la nature, sur les plus modestes objets, les jeux de lumière. Hommes simples et laborieux, pauvres, sans relations, refusés aux salons parisiens, désintéressés mais passionnés par leur art, ils laisseront des oeuvres qui ne seront appréciées qu'après leur mort. Le premier, le plus doué peut-être, Jean Seignemartin, a disparu à trente ans, en 1875, sans avoir donné sa complète

tungen, oh, pardon... Ausführungen:

«Von ihrer Stadt geht ein Eindruck der Arbeit, der Ordnung und der Rechtschaffenheit aus, der bewußten und ernsten Macht, so etwas wie ein erhabener Adel, wie die innere Heiterkeit und Sicherheit eines Gemäldes von Ingres oder ihres großen Meisters Puvis de Chavannes. Diese Rechtschaffenheit ist es, dieses Gespür für das Angemessene, die ich so gerne in der biederen und gesunden Lyoner Küche wiederfinde. Ich erinnere mich, einmal diesen Satz geschrieben zu haben, der seitdem oft wiederholt und kopiert wurde: "Was der griechischen und französischen Kunst gemein ist, ist, daß sie niemals auf Effekte aus sind". Die Lyoner Küche ist Teil der französischen Kunst, eben weil sie niemals effektehaschend ist. Sie drängt sich nicht auf, unterliegt nicht der leichten Versuchung der Schwatzhaftigkeit. Sie erreicht, auf ganz natürliche Art und anscheinend ohne Anstrengungen, den höchsten Grad der Kunst: die Einfachheit.»

«MALER UND SCHRIFTSTELLER»

Curnonsky, der die Lyoner Küche mit der Kunst, der wahren Kunst, in Verbindung bringt, bietet uns die Überleitung zu den Malern und Dichtern Lyons, unter denen wir einige, der Reihe nach, vorstellen wollen.

Auf unserer Palette tauchen als erste Hippolyte Flandrin (1808 - 1864) und seine Brüder Paul und Auguste auf. Doch zog nur der erste alle Berühmtheit auf sich, sicherlich nicht zu Unrecht. Dieser Ingres-Schüler konnte, im Kontakt und unter der Leitung seines Meisters, sein Talent als Zeichner entfalten. Doch entwickelte er sich mit der Zeit, nach einer italienischen Periode, während der er einen der Schöpfer der abendländischen Malerei, Giotto di Bondone, entdeckte, zum Ausmaler heiliger Stätten. Wir verdanken diesem Lyoner herrliche Wandmalereien (in Lyon in Saint-Martin d'Ainay) aber auch Porträts, die die ganze Breite seines Könnens nur noch bestätigen.

With him, a wall is never encumbered, it «breathes»[6]. Although large, he would say of his compositions.

«I tried to say as much as possible in just a few words». The artist, famous for his painting in Saint-Peter's Palace in Lyons «the Sacred Wood dear to Art and the Muses», can be classified neither amongst the romantic, nor the classical, nor the realist nor any other impressionnist painter. Ignoring the various schools of painting, Puvis de Chavannes «was himself, and nothing but himself».

The greatness of the artist, the greatness in art alone cannot make us ignore the humble, word which is not taken in its pejorative sense here. No. Humble because their destiny did not raise them to a pinnacle or else contrived to let them but taste the fruit of fame. Here we are referring namely to «a family of colorist painters who liked to play with light on the most ordinary objects in nature. These simple, hard working men, poor and without relations, to whom the Parisian drawing rooms were open, disinterested yet passionately fond of their art, were to leave works that were perhaps not appreciated until after their death. The first and maybe the most talented, Jean Seignemartin disappeared in 1875 at the age of thirty, withour having given his full measure. After him comes Auguste Ravier, happy enough to have drawn the attention of Corot, of whom he is quite worthy, and who made of the Dauphinois village of Morestel a sort of Lyonnais Barbizon, saying :

«For me, there are no lines in nature, there is only shadow and light». And then Carrand, «the songster of mist, melancholic skies and twilight» over the old town or the neighbouring Bressan or Dauphiné regions; François Vernay, the «solitary» artist form Lyons, of a deconcerting virtuosity in the expression of shades in those flowers and fruit he had greatly studied in his father's silk manufacturing workshops.

With them, the real Lyons poe-

Comme le suggère cette sculpture de Jean Ipoustéguy le Beaujolais semble bien être le troisième fleuve de Lyon.

Wie diese Skulptur von Jean Ipoustéguy es erahnen läßt, scheint der Beaujolais wirklich der dritte Fluß von Lyon zu sein.

As it is suggested by this sculpture by Jean Ipoustéguy, Beaujolais wine seems to be the third of Lyon's rivers.

mesure. Après, vient Auguste Ravier, assez heureux pour attirer l'attention de Corot dont il n'est pas indigne, et qui fait du village dauphinois de Morestel une sorte de Barbizon lyonnais, disant:

«Pour moi, il n'y a point de lignes dans la nature, il n'y a que l'ombre et la lumière.» Puis Carrand, «chantre des brumes, des ciels mélancoliques et des lumières mourantes» de la vieille ville, de la Bresse ou du bas Dauphiné voisins; François Vernay, le «solitaire de Lyon», d'une virtuosité déconcertante dans l'expression des nuances de ces fleurs et de ces fruits qu'il avait tant étudiés dans l'atelier paternel de fabrication de soieries...

Avec eux, la vraie poésie lyonnaise se révèle dans la peinture, ignorant la déclamation, indifférente à l'anecdotique, mais «infiniment sensible aux reflets de la clarté dans une atmosphère enveloppante et sans éclats.» «Clarté», «atmosphère enveloppante et sans éclats»: voilà qui nous incite à citer non un peintre mais un écrivain, Bernard Clavel, parlant d'un autre écrivain, Alexandre Arnoux pour qui Lyon était une question de «lumière», mais d'une lumière peu commune, pas ordinaire: «...Merveilleux. j'ai retrouvé ici le calme et la lumière. Je vais te montrer mon univers de rêve, ce hâvre inondé de soleil où j'écris». «Tout au fond de la traboule, dans un réduit sans fenêtre dont l'unique porte basse ouvrait sur une cour profonde où ruisselait un égoût à ciel ouvert, Arnoux rayonnait: il venait de renouer avec sa jeunesse...»

Deux «monstres» qui, à défaut d'être véritablement «sacrés», viennent s'ajouter à notre galerie. Paul Chenavard, né à Lyon le 4 mars 1787 et mort à Paris à l'âge de quatre-vingt huit ans, eut la drôle de réputation d'être un «orateur en peinture» tout en ajoutant à ce titre l'éclat d'une oeuvre manquée. Celle d'un projet qui lui avait été inspiré par son ami Ballanche - le philosophe auteur d'une «Palingénésie Sociale», c'est-à-dire une his-

Puvis de Chavannes wurde 1824 in Lyon geboren und pflegte zwei Werte, bzw. Fehler, ganz wie man die Dinge sieht: eine späte, jedoch vertrauensvolle Berufung und die Neigung zur Unabhängigkeit, durch die er gegensätzliche oder parallele Strömungen ignorieren konnte. Dieser ehemalige Schüler von Delacroix und Couture wurde der größte dekorative Maler seiner Zeit. Seine Werke bedecken gewaltige Oberflächen in ganz Frankreich. Sein Register: «Eine Kunst voller Träume, Stille, langsamer Bewegungen, friedlicher Schönheit. Sein Leitmitiv war die Ordnung. «Ich bin überzeugt», sagte er, «daß die geordnetste Konzeption gleichzeitig auch die schönste ist. Ich liebe die Ordnung, weil ich leidenschaftlich die Klarheit liebe.» Puvis de Chavanne triumphiert durch sein Raumgefühl, seine Neigung zur Vereinfachung. Mit ihm ist eine Mauer nie beladen, sie "atmet".»[6] Trotz der gewaltigen Flächen sagte er von seinen Kompositionen: «Ich habe versucht, so viel wie möglich mit wenigen Worten zu sagen.» Der Maler des berühmten «Le Bois sacré cher aux Arts et aux Muses» (Das den schönen Künsten und Musen heilige Holz) im Palast Saint-Pierre (dem Museum für schöne Künste, Anm. des Ü.) in Lyon, gehört weder zu den Romantikern, noch zu den Klassikern, Realisten oder sonstigen Impressionisten. Puvis de Chavannes ignorierte die Schulen, «war er selbst, ganz er selbst».

Über der Größe dieses Künstlers, ja der Größe schlechthin, sollten wir jedoch nicht die Bescheidenen vergessen, ein Wort das hier nicht im abschätzigen Sinne gemeint ist. Nein, sie sind bescheiden, weil das Schicksal sie nicht in die Höhen des Ruhmes erhoben hat, ja sie nicht einmal die Früchte ihres Ruhmes hat kosten lassen. Wir spielen hier vor allem an auf eine Familie von Malern und Koloristen, die sich daraus ein Vergnügen machten, in der Natur, auch am kleinsten Gegenstand, den Lichtspielen nachzugehen. Es waren einfache und

try is revealed in painting, ignoring declamation, indifferent to the anecdotal, but infinitely sensitive to the reflections of clearness in a dull envelopping atmosphere.

«Clearness», «a dull enveloping atmosphere»: this brings us to name a writer, not a painter, Bernard Clavel, speaking of another author, Alexandre Arnoux, for whom Lyons was a question of «light», but an unusual, out of the ordinary light: «Extraordinary. Here I found peace and light. I'm going to show you my dream world, this sunlit haven where I am writing.» At the bottom of the «traboule» (passage between houses in Lyons), in a tiny room, the sole low door of which opened onto a deep courtyard with an open server, Arnoud beamed: he had revived memories of his youth.

Two «stars» who, fault of being really «super», can be added to our gallery of artists. Paul Chenavard, born in Lyons on 4th March 1787 and died in Paris at the age of eighty-eight, had the amusing reputation of being an «orator in painting» adding to this title the «dazzle» of a failed work. That of a project inspired by his friend Ballanche - the philosopher, author of a «Social Palingenesis», i.e. the history of the evolution of humanity - and which was to have been placed in the very heart of the Panthéon. The delay being too long, the order was cancelled, and the decoration of this temple to humanity was later realized by Puvis de Chavannes. However, Chenavard gained consideration as the «veritable ancestor of symbolic painting.»

The last figure on the Lyons easel is Ernest Meissonier (1825-1891), who owed a great deal to the admiration Napoleon III showed him. The Emperor took him to the battlefields of his Italian campaign and as of then Meissonier gave himself entirely to «military art». His «Charge des Cuirassiers» qualified him definitively, according to some malicious talk, as a conventional artist.

La Galerie Guichard

présente

Les Peintres Lyonnais

Huile
Passerelle Saint-Georges - 81×65 - MAGNI Silvio

De tous temps les écoles de peinture lyonnaises ont marqué leur époque.

Die Lyoner Malerschulen haben schon immer ihre Zeit geprägt.

The Lyonnais schools of painting have always marked their time.

toire de l'évolution de l'humanité - et qui devait se transposer au sein même du Panthéon. Las, la commande fut ajournée et la décoration de ce temple de l'humanité sera réalisée...par Puvis de Chavannes. Il reste que Chenavard obtiendra la considération en tant que «véritable ancêtre de la peinture symbolique»...

Dernière figure du chevalet lyonnais, Ernest Meissonier (1825-1891) qui devra beaucoup à l'admiration que lui voua Napoléon III. L'empereur l'entraîna sur les champs de bataille de sa campagne italienne et Meissonier se consacra dès lors à peindre «l'art militaire». Sa «Charge des Cuirassiers» le fixera définitivement, aux dires des mauvaises langues, dans l'art pompier...

Du pinceau à la plume, il n'existe qu'une faible marge. Franchissons-là...

Si nous avions à déterminer, chronologiquement, le nom de l'écrivain lyonnais qui a, avant tous les autres, donné le ton d'une culture écrite fort riche, nous nous risquerions à citer celui d'un empereur, né à Lugdunum, en l'an 12 avant J.-C.: Claude, celui qui nous a laissé un ineffaçable témoignage avec un discours dédié aux chefs gaulois, gravé sur plaques de bronze, qu'un jour de l'an 1524, un simple marchand découvrira sur une pente de la Croix-Rousse. Mais Claude, dont les Lyonnais, en une sorte d'éternelle reconnaissance, ont conservé le prénom (transformé en Claudius ou Glaudius, à la lyonnaise) pour nombre de leurs enfants, était aussi l'auteur d'ouvrages importants, dont une «Histoire de Rome», à jamais disparus...Sidoine Apollinaire, quatre siècles plus tard, né lyonnais également - même s'il fut évêque de Clermont et souvent éloigné de sa ville natale - compte aussi, avec une littérature faite de poèmes et de lettres édifiantes sur l'histoire de son temps, parmi l'élite primitive. Une élite qui allait, nous l'avons souligné, grandement s'enrichir avec l'imprimerie, fer de lance de la technicité lyonnaise au service de

strebsame, arme Leute, ohne Beziehungen, denen die Pariser Salons verwehrt blieben, voller Desinteresse doch auch Leidenschaft für ihr Schaffen, die Werke hinterließen, die man erst nach ihrem Tode schätzen lernte. Der erste, wohl auch der talentierteste, Jean Seignemartin, verschied 1875, mit dreißig Jahren, ohne sein Bestes gegeben zu haben. Nach ihm kam Auguste Ravier, der das Glück hatte, von Corot bemerkt zu werden, dessen er nicht unwürdig ist, und der aus dem Dorf Morestel im Dauphinois eine Art Barbizon (*frz. Malerschule der Mitte des 19. Jhdts. 50 km südöstlich von Paris*) à la Lyonnaise macht. Er hat gesagt:

«Für mich gibt es in der Natur keine Linien, es gibt nur Licht und Schatten.» Dann folgten noch Carrand, «der Sänger der Nebel, der melancholischen Himmel und der erlöschenden Lichter» der Altstadt, der benachbarten Bresse und der niederen Dauphiné, und François Vernay, der «Einsiedler von Lyon», von einer verwirrenden Virtuosität in der Wiedergabe der Nuancen der Blumen und Früchte, die er intensiv in der väterlichen Seidenwerkstatt studiert hatte.

«Mit ihnen tut sich die wahre Lyoner Poesie in der Malerei auf, ohne alles Deklamatorische, gleichgültig gegen das Anekdotische, doch voll unendlichem Gespür für das Widerspiel der Klarheit in einer alles umschließenden Atmosphäre ohne jeden Glanz».

«Klarheit», «alles umschließende Atmospäre ohne jeden Glanz»: das sind Worte die uns dazu führen, nicht einen Maler, sondern einen Schriftsteller zu zitieren, Bernard Clavel, der über einen anderen Autor schreibt, Alexandre Arnoux, für den Lyon eine Frage des Lichtes war, doch eines wenig gemeinen, gewöhnlichen Lichtes: «Wunderbar. Ich habe hier die Ruhe und das Licht wiedergefunden. Ich werde Dir meine Traumwelt zeigen, diese von der Sonne überschwemmte

There is only a small margin between the paintbrush and the pen ; let us cross over it.

If we had to determine, in chronological order, the name of the writer from Lyons who, above all others, has given us the tone of a rich written culture, we might venture to name that of an emperor, born in Lugdunum in the year 12 B.C. : Claudius, he who left us an indelible account with a speech dedicated to the Gaul Chieftains, engraved on copper plates and which, one day in 1524, a simple merchant was to discover on the slopes of the Croix-Rousse. But Claudius, (sometimes called Glaudius, in the fashion of Lyons) the name of whom the people of Lyons, in a kind of eternal gratitude, gave to many of their children, was also the author of important works such as a «History of Rome», long since disappeared_ Four centuries later, Sidonius Apollinarius, also born in Lyons - even if he was bishop of Clermont and often far from his native town - can also be included with works composed of poems and edifying letters on the history of his time, amongst the primitive elite. An elite which, as we have already mentioned, was to become far richer with the advent of printing, the spearhead of the technicity of Lyons at the service of erudition. This trend increased during the Renaissance with Maurice Scève and Louise Labé and her «Debat de Folie et d'Amour», illustrated in her «Elégies»:

«Quand vous lirez, o dames lionnoises

Ces miens escrits pleins d'amoureuses noises,

Quand mes regrets, ennuis, despits et larmes

M'orrez chanter en pitoyable carmes,

Ne veuillez point condamner ma simplesse,

Et ieune erreur de ma folle ieunesse,

Si c'est erreur...»

Dans le jardin du Palais St. Pierre, qui abrite le musée des Beaux-Arts, le Penseur s'interroge t-il sur l'avenir de l'art lyonnais?

Ob der Denker im Garten des Palais St. Pierre, in dem sich das Museum für schöne Künste befindet, wohl über die Zukunft der Kunst in Lyon nachdenkt?

In the Gardens of Saint-Peter's Palace, which now houses the Fine Arts Museum, is the «Penseur» (Thinker) meditating on the future of art in Lyons?

l'érudition. La Renaissance ne fera qu'amplifier l'élan, avec Maurice Scève et Louise Labé et son «Débat de Folie et d'Amour»qui s'illustre en ses «Elégies»:

Quand vous lirez, ô Dames Lionnoises,

Ces miens escrits pleins d'amoureuses noises,

Quand mes regrets, ennuis, despits et larmes

M'orrez chanter en pitoyable carmes,

Ne veuillez point condamner ma simplesse,

Et ieune erreur de ma fole ieunesse,

Si c'est erreur...»

Figures de la Renaissance encore avec «Myrelingue la Brumeuse ou l'an 1536 à Lion sur le Rosne», «énorme fresque, écrit Pierre Mérindol, dessinée par Claude Le Marguet, où banquiers et saltimbanques, princes et larrons, prélats et gourguandines mêlaient, dans l'ombre de la Cour, la sorcellerie lyonnaise à la décadence florentine...»

Plus près de nous, le XIXᵉ siècle entreprit de nous offrir d'innombrables auteurs, de diverses chapelles. Le poète Pierre Dupont poussa haut le cri républicain et après «J'ai deux grands boeufs dans mon étable», avec le «Chant des Soldats», le «Chant des ouvriers», il invita à «boire à l'indépendance du monde», il acclama la révolution de 1848 et composa «La Républicaine». D'un engagement sans rapport avec le précédant, Nizier du Puits-Pelu, pseudonyme de Clair Tisseur, architecte à ses débuts, défenseur ardent ensuite des «lyonnaiseries», produisit, avec «Le Littré de la grand côte» l'équivalent local du grand dictionnaire de la langue française, en même temps qu'il fabriqua d'incomparables titres fleurant bon le terroir.

Nous ne saurions omettre d'autres plumes, contemporaines, que René Tavernier, mieux que d'autres, a su, en quelques lignes, faire revivre: en par-

Insel, von der ich schreibe. Ganz hinten in der Traboule (einem dunklen langen Hausflur Anm. des Ü), in einer Kammer ohne Fenster, deren einzige niedrige Tür auf einen weiten Innenhof führte, in der das Wasser durch eine offene Rinne ablief, strahlte Arnoux vor Glück: er hatte den Kontakt mit seiner Jugend wieder hergestellt.»

Zwei weitere Sterne, wenn vielleicht auch nicht Superstars, scheinen an unserem Himmel auf. Paul Chenavard, geboren am 4. März 1787 in Lyon und in Paris im Alter von 88 Jahren gestorben, hatte den recht seltsamen Ruf, ein «Redner mit dem Pinsel» zu sein, Titel, den er um den Glanz eines verpaßten Werkes bereicherte. Das Projekt für dieses Werk war ihm von seinem Freund Ballanche zugeflüstert worden, dem Philosophen und Autor einer «Sozialen Palingenese», also einer Geschichte der Menschheitsentwicklung, und es sollte im Pantheon zur Ausführung gelangen. Doch leider wurde die Bestellung verschoben - und war für Chenavard damit auch aufgehoben, denn die Ausmalung des Tempels der Menschheit übernahm... Puvis de Chavannes. Chenavard blieb zumindest die Ehre als «wahrer Vorgänger der symbolischen Malerei» erhalten.

Der letzte Lyoner Meister der Palette ist Ernest Meissonier (1825 - 1891), der der Verehrung seiner Werke durch Napoleon III. sehr viel verdankt. Der Kaiser nahm ihn auf seine Schlachtfelder im Italienfeldzug mit, und von da an widmete sich Meissonier in seiner Malerei der «militärischen Kunst». Sein «Charge des Cuirassiers» (Angriff der Kürassiere) besiegelte auf ewig, wenn man den bösen Zungen Glauben schenkt, sein Werk im Rahmen der manirierten Kunst.

Vom Pinsel zur Feder ist der Weg nicht weit. Wir wollen ihn beschreiten...

Würde man uns bitten, den Namen des Lyoner Schriftsteller zu nennen, der, vor allen anderen, wirklich der erste war, der den Ton angab

Yet more figures from the Renaissance with «Myrelingue la Brumeuse ou l'an 1536 à Lion sur le Rosne», «an enormous frescoe, wrote Pierre Mérindol, drawn by Claude le Marguet, where bankers and tumblers, princes and thieves, prelates and hussies, in the shadow of the Court, mixed local witchcraft and Florentine decadence».

Closer to us, the 19th century offered us many authors belonging to various cliques. The poet Pierre Dupont devoutedly defended the Republican cause and alfter «J'ai deux grands boeufs dans mon étable», with the «Chant des Soldats» & the «Chant des ouvriers», he invited to «drink to the world's independance», acclaimed the 1848 Revolution and composed «La Républicaine». Of a commitment having not the slightested connection with the previous use, Nizier du Puits-Pelu, pseudonym of Clair Tisseur, architect to begin with, before becoming the ardent defender of everything concerning Lyons, in publishing «Le Littré de la Grande Côte» produced the local equivalent of the Great Dictionary of the French Language at the same time devising incomparable titles of an attractive local inspiration. We cannot omit other contemporary writers whom René Tavernier, better than any other, has brought back to life in just a few lines : in speaking of that «famous novelist who suffered so much from the glory, annoying in his time, of «Clochemerle». Author of «Peur», «Mon ami Pomme» and other remarkable short stories, Gabriel Chevallier (1895-1969) should be literally restored to favour. In the same fashion as «Clochemerle», «Le Charcutier de Machonville» by Marcel E. Grancher - a rather coarse but humoristic story, met with a great success. The good companion Grancher founded the «Rabelais Academy» dedicated to gastronomy considered as one of the fine arts».

Henri Béraud, the accursed

Les créations modernes de la place Louis Pradel défient, dans la nuit lyonnaise, l'Opéra aujourd'hui en pleine rénovation.

Im nächtlichen Lyon scheinen die modernen Plastiken, auf dem Place Louis Pradel, die im Umbau befindliche Oper geradezu herauszufordern.

In the heart of the Lyonnais night, the modern creations of Place Louis Pradel challenge the Opera House, now under renovation.

lant de ce «romancier célèbre qui a tant souffert de la gloire - agaçante il est vrai - de «Clochemerle». Auteur de la «Peur», de «Mon amie Pomme» et d'admirables nouvelles, Gabriel Chevallier (1895-1969) doit être littérairement réhabilité. Dans la lignée de «Clochemerle», «le charcutier de Machonville» de Marcel E. Grancher - récit d'un gros pittoresque qui obtint un franc succès. Le bon compagnon que fut Grancher fonda l'«Académie Rabelais» consacrée à la gastronomie considérée comme l'un des beaux-arts.»

Monstre maudit, géant abattu, vaincu par ses propres écarts, Henri Béraud couvrit de son talent encombrant et débordant la première moitié du XXᵉ siècle. Le romancier et critique littéraire André Billy disait de lui: «Rouen a eu Flaubert, Lyon a eu Béraud. Deux grandes villes, deux maîtres artistes de la satire installée dans leur banlieue, les dominant, les guettant, les couvrant d'un regard impitoyable.» Outre le journaliste et l'écrivain, Béraud le polémiste eut le grand tort de mettre son antisémitisme et son anglophobie au service d'une cause qui n'était pas la bonne. Il fut banni, condamné et mourut oublié. Pourtant l'oeuvre, celle du Prix Goncourt 1922, demeure. Avec «La Gerbe d'Or»: «Nous n'avons pas l'orgueil facile, nous autres, ni la curiosité impatiente... à Lyon on est maître de son enthousiasme.» Et «Ciel de Suie», où il n'échappe rien de ce qui émane de Lyon, de la Croix-Rousse où s'abritent et éclatent «la peine des pauvres et la colère des affamés»...

«Notre» littérature, c'est aussi Saint-Exupéry, né près de Lyon, mais «s'inscrivant dans la lignée de l'art philosophique lyonnais». De «Courrier sud» en «Vol de nuit», au «Petit Prince» devenu «Pilote de guerre» qui lui coûtera, en vrai, une vie dont il redoutait l'accomplissement: «...La termitière future m'épouvante. Et je hais leurs vertus de robots. Moi, j'étais fait pour être jardinier...»

Les années sombres, l'occupa-

für eine extrem reiche Schrift-Kultur, so würden wir einen Kaiser nennen, der im Jahre 12 v. Chr. in Lugdunum geboren wurde: Claudius. Denn ihm verdankken wir das unauslöschliche Zeugnis einer Rede an die Großen Galliens, die auf bronzenen Tafeln verewigt wurde, die ein einfacher Kaufmann im Jahre 1524 an den Hängen des Croix-Rousse-Viertels entdecken sollte. Doch Claudius, dessen Vornamen die Lyoner, in einer Art ewiger Dankbarkeit, für viele ihrer Kinder bewahrt haben, war auch der Verfasser bedeutender Werke, darunter einer «Geschichte Roms», die leider für immer verschollen sind. Vier Jahrhunderte später zählt auch Sidonius Apollinarius, ebenfalls aus Lyon gebürtig, auch wenn er dann Bischof von Clermont Ferrand wurde und nicht sehr oft in seiner Vaterstadt weilte, zur Elite der Anfänge, mit Gedichten und erbaulichen Briefen über die Geschichte seiner Zeit. Eine Elite, die, wir wir es schon gesagt haben, in bedeutendem Maße aus dem Druckereiwesen Erfolg schlagen sollte, dem Paradepferd der Lyonaiser Technik im Dienste der Gelehrsamkeit. Die Renaissance sollte diese Bewegung noch verstärken, mit Maurice Scève und Louise Labé und ihrem «Débat de Folie et d'Amour» (Der Kampf zwischen Narrheit und Liebe), den diese Elegie illustriert:

Quand vous lirez, ô Dames Lionnoises,

Ces miens escrits pleins d'amoureuses noises,

Quand mes regrets, ennuis, despits et larmes

M'orrez chanter en pitoyable carmes,

Ne veuillez point condamner ma simplesse,

Et ieune erreur de ma fole ieunesse,

Si c'est erreur...

Andere Figuren der Renaissance sind noch zu erwähnen, mit «Myrelingue la Brumeuse ou l'an 1536 à Lion

writer and vanquished giant, victim of his own departures from accepted standards, covered the first half of the 20th century with his encumbering and boisterous talent. The novelist and litterary critic André Billy said of him «Rouen had Flaubert, Lyons had Béraud. Two large cities, two masters in the art of satire set up on their outskits, dominating them, watching them, covering them with a pitiless regard».

«Apart from the journalist and the author, Béraud the polemist was wrong in putting his antisemitism and anglophobia at the service of the wrong cause. He was bannished, condemned and died forgotten. But his work, that of the 1922 Prix Goncourt, remains. With «La Gerbe d'Or» : «Our pride is not easily shown and our curiosity is not impatient in Lyons we know how to master enthusiasm.» And «Ciel de Suie», where noting that comes from Lyons escapes, from the Croix-Rousse where the «weariness of the poor and the anger of the hungry» are sheltered and break out.

«Our literature also includes Saint-Exupéry, born near Lyons, but counting in the line of Lyons' philosophical art». From «Courrier Sud» and «Vol de Nuit», to the «Petit Prince», become «Pilote de Guerre» (War Pilot), which was to cost him his life, life of which he was so much afraid. «The future anthill frightens me. And I hate their robot virtues. I was born to be a gardener».

The dark years of the Occupation created a number of centres of «resistance» in Lyons, which kept alight the flame of the liberty of expression, menaced with extinction. The magazine «Confluences» was the symbol of this movement. It was lead by René Tavernier whom we shall again let us describe the after war and its revelations: «Dr Jean Reverzy, (died in 1959) who left us but few works, all extremely original and of a rare quality : «The Passage», «The Corridor», «Place des Angoisses». With him everyday life is assumed acts and gestures should show

Au 8 de la rue Juiverie, la célèbre galerie sur trompe de Philibert Delorme (1536), illustre les traités d'architecture du monde entier.

Die berühmte Trompengalerie von Philibert Delorme (1536), in der Rue Juiverie, Nr. 8, hat weltweit in so manchem Lehrwerk der Architektur ihren Platz gefunden.

At 8, rue de la Juiverie, Philippe Delorme's famous squinch gallery (1536) illustrates the architectural treatises from all over the world.

Dans les grandioses salons de l'Hôtel de ville les peintures de Thomas Blanchet, peintre «ordinaire» de la ville de Lyon.

In den gewaltigen Salons des Rathauses befinden sich die Malereien von Thomas Blanchet, dem «ordentlichen» Maler der Stadt Lyon.

In the magnificent reception rooms of the Town Hall, paintings by Thomas Blanchet, «ordinary» artist of the City of Lyons.

Edifié par Simon Maupin, puis transformé par Jules Hardouin-Mansard, l'Hôtel de ville présente ici le «Grand Salon».

Das Rathaus wurde von Simon Maupin errichtet, dann von Jules Hardouin-Mansard umgebaut. Hier öffnet es uns seinen «Grand Salon».

The main reception room (Grand Salon) of the Town Hall, built by Simon Maupin and later transformed by Jules Hardouin-Mansard.

tion créèrent à Lyon des centres de «résistance» qui maintinrent la flamme menacée d'extinction de la liberté d'expression. La revue «Confluences» en fut le symbole, menée par René Tavernier auquel nous laissons à nouveau la plume pour évoquer l'après-guerre et ses révélations: «...Jean Reverzy, médecin (mort en 1959), qui nous laisse peu de récits, tous d'une originalité profonde et d'une rare qualité: le «Passage», le «Corridor», «Place des angoisses». Avec lui, le quotidien est assumé: actes et gestes doivent livrer le sens du comportement. Charles Juliet (né en 1934), écrivain d'une exigence intérieure rare (...), Frédéric Dard, dont on connaît aujourd'hui la gloire universelle, Louis Calaferte qui est, fort différemment, un écrivain authentique, secret et de grande valeur (...) Il ne faut pas oublier Nicole Avril, ni Pierre Péju, ni Jean-Jacques Brochier, ni René Bragard, ni Bernard Clavel qui a si bien parlé du Rhône au temps où celui-ci était sauvage (...) Parmi les derniers venus, mon intérêt, s'attardait encore Tavernier, va d'abord à trois auteurs de grand talent: Patrick Drevet, Jacques Chauviré et René Belleto...»

Il fallait enfin à cette longue histoire...des historiens, qui furent nombreux aussi: de Charléty à A. Kleinclausz, pour ne citer que deux de nos contemporains, en allant jusqu'à Edouard Herriot, égal fin lettré et grand administrateur de la ville, qui ne fut certes pas le seul à penser, et à écrire: «J'ai conçu envers Lyon une profonde tendresse qui ne me quittera plus...».

sur le Rosne»», «ein gewaltiges Fresko, gezeichnet von Claude Le Marguet, wo Bankiers und Gaukler, Prinzen und Bösewichte, Prälaten und liederliche Frauenzimmer, im Schatten des Hofes, die Lyoner Hexerei mit der Dekadenz aus Florenz vermischen», schreibt Pierre Mérindol.

In jüngerer Zeit schenkte uns das 19. Jahrhundert unzählige Autoren, der verschiedensten Richtungen. Der Dichter Pierre Dupont ließ den Schrei der Republikaner weit erschallen, und nach seinem «J'ai deux grands boeufs dans mon étable» (Ich habe zwei große Ochsen in meinem Stall), lud er mit dem «Chant des Soldats» (Soldatenlied) und dem «Chant des ouvriers» (Lied der Arbeiter) ein, «sich an der Unabhängigkeit der Welt zu erquicken». Er jubelte der Revolution von 1848 zu und komponierte «La Républicaine». Nizier du Puits-Pelu, mit echtem Namen Clair Tisseur, war weit vom Engagement eines Pierre Dupont entfernt. Zunächst Architekt, wurde er ein erbitterter Verteitiger der «Lyonnaiseries», also alles Lyonaiserischem. Sein Hauptwerk wurde der «Littré de la grand côte», eine Art Großes Lexikon der Lyonaisischen Sprache, und unzählige seiner Titel verbreiten einen unvergleichlichen heimatlichen Duft. Doch dürfen wir andere - zeitgenössische Autoren nicht vergessen, die kein anderer so gut wie René Tavernier in wenigen Zeilen zu neuem Leben erweckt: z.B. wenn er sschreibtt «über jenen berühmten Romancier, der so sehr unter der Ehre - die in der Tat ärgerlich war - von "Clochemerle" gelitten hat. Der Autor von «Peur» (Angst), von «Mon amie Pomme» (Meine kleine Freundin Pomme) und von bezaubernden Novellen, Gabriel Chevalier (1895 - 1969) hätte es verdient, daß sein literarisches Werk wieder mehr Beachtung fände. In der geistigen Nachfolge von «Clochemerle» steht «Le charcutier de Machonville» (Der Metzger von Machonville) von Marcel E. Grancher - eine äußerst malerische Erzählung,

the sense of behaviour. Charles Juliet (born in 1934), writer of a rare interior demand (_), Frédéric Dard, whose fame is worldwide, Louis Calaferte who is, on the contrary an authentic writer, secret and of great quality (_). Not to forget Nicole Avril, Pierre Péju, Jean-Jacques Brochier, René Bragard nor Bernard Clavel, who knows so well how to tell us stories of the Rhône at a time when it was wild (...). Amongst the latest arrivals, continued Tavernier, my interest goes towards three highly talented writers : Patrick Drevet, Jacques Chauviré and René Belleto.

Finally, this long history needed historians, who were numerous too: from Charléty to A. Kleinclausz, to name but two of our contemporaries and including Edouard Herriot, as equally well read man and great administrator of the town who was certainly not the only one to think and to write «I have a deep feeling of tenderness towards Lyons that will always be a part of me».

Deux styles, deux époques: la fontaine de Serge Boyer et le Bœuf attribué à Jean de Bologne, sculpteur des Médicis.

Zwei Stile, zwei Epochen: der Brunnen von Serge Boyer und der Jean de Bologne, dem Bildhauer der Familie Médicis, zugesprochene Ochse.

Two styles, two periods: the fountain by Serge Boyer and the Ox, thought to be by Jean de Bologne, sculptor to the Medicis family.

Mathieu Varille, dans son excellent ouvrage -le qualificatif prend ici des saveurs multiples-, paru en 1928 sur «La cuisine lyonnaise», évoquait les lieux gourmands déjà anciens. On y retrouve malgré tout des noms qui sonnent encore à nos oreilles... et frémissent sur le bout de nos lèvres: «Georges Saint-Lager, père du docteur Saint-Lager, qui fut conservateur de la bibliothèque du Palais des Arts, tenait un hôtel renommé pour sa bonne cuisine, rue de Paradis. Cet établissement fut démoli lors de la percée de la rue de la République; mais la chanson qui le célèbre est demeurée ainsi: «Quand on veut faire un bon dîner, il faut aller chez Saint-Lager...»

Quand nos pères sortaient de leur ville, ce qui, faut-il le dire, n'avait lieu que dans les grandes occasions, car les voyages étaient difficiles, ils allaient, en famille, dîner aux Charpennes, chez la mère Brigousse, qui florissait de 1830 à 1850; à la Mulatière, chez Abel, où l'on buvait le vin du cru célèbre de la Galée; aux Etroits, chez la mère Guy, ou à la Pape, chez Larivoire. On y mangeait les meilleurs poissons du monde (...) «car les eaux vives du Rhône donnent aux poissons un goût fin et délicat». Chez la mère Guy, la matelote triomphait...»

(1) M. Varille: «La cuisine lyonnaise», Lyon 1928.
(2) A. Sachet: «Les rôtisseurs de Lyon», Lyon 1920.
(3) «Mémoires d'un touriste», 1838.
(4) B. Plessy et L. Challet: «La vie quotidienne des Canuts, passementiers et mouliniers au XIXᵉ siècle», Hachette.
(5) H. Clos-Jouve et F. Benoit:«La cuisine lyonnaise», Solar.
(6) J. Clay: «L'impressionnisme», Hachette.

der ein gewaltiger Erfolg beschieden war. Der gute alte Kamerad Grancher gründete die «Akademie Rabelais», die sich der Gastronomie, als einer der schönen Künste, widmete.»

Henri Béraud, verwünschter Star, zerschmetterter Riese, besiegt von seinen eigenen Ausschweifungen, überdeckte mit seinem lästigen und überschäumenden Talent die erste Hälfte des 20. Jahrhunderts. Der Romancier und Literatur-Kritiker André Billy hat von ihm gesagt: «Rouen hatte Flaubert, Lyon hatte Béraud. Zwei große Städte, zwei Meister der Kunst der Satire, beherrschen und überwachen, mit ihrem rücksichslosen Blick, von ihrem Vorort aus, die Stadt.» Der Journalist und Schriftsteller Béraud beging das große Unrecht, seine Polemik, seinen Antisemitismus und seine Anglophobie in den Dienst einer Sache zu stellen, die sich als die falsche erwies. Er wurde verbannt, verurteilt und starb von allen vergessen. Doch bleibt sein Werk, für das er 1922 mit dem Prix Goncourt ausgezeichnet wurde. «La Gerbe d'Or» (Die goldene Garbe): «Wir sind nicht leicht stolz, auch nicht von ungeduldiger Neugier...in Lyon beherrscht man seine Begeisterungsfähigkeit», oder noch «Ciel de Suie» (der verrußte Himmel), in dem nichts von dem, was Lyon ausstrahlt, verborgen bleibt, vom Croix-Rousse-Viertel, wo «das Leid der Armen und die Wut der Hungernden» sich verstecken und aufbegehren.

Zu «unserer» Literatur gehört auch Saint-Exupéry, der in der Nähe von Lyon geboren wurde, doch der «sich einreiht in die Reihe der Lyoner Kunst der Philisophie».

Wer kennt nicht den «Südkurier», den «Nachtflug» und natürlich den «Kleinen Prinzen», diese Geschichte des Aufklärungsfliegers, die seine eigene war. Er kam bei einem dieser Flüge ums Leben, ein Leben, dessen Vollendung er so sehr gefürchtet hatte: «Der kommende Termitenhügel erschrickt mich. Und ich hasse ihre Roboter-Werte. Ich war bestimmt

gewesen zum Gärtner.»

Die dunklen Jahre der Besetzungszeit ließen in Lyon Widerstandsherde entstehen, die die, von der Unterdrückung der freien Meinungsäußerung bedrohte, Flamme aufrechterhielten. Die Zeitschrift «Confluences» wurde ihnen zum Symbol, unter der Leitung von René Tavernier, dem wir erneut das Wort erteilen, um die Nachkriegszeit und seine Entdeckungen vorzustellen: «Jean Reverzy, ein 1959 verstorbener Arzt, hinterläßt uns wenige Schilderungen, alle von einer tiefen Originalität und seltenen Qualität: «Passage», «Corridor», Place des angoisses». Mit ihm vollendet sich der Alltag, Handlungen und Gesten müssen den Sinn des Verhaltens preisgeben. Charles Juliet (geboren 1934), ein Schriftsteller, der an sich innere Anforderungen wie kaum jemand stellt (...), Frédéric Dard, heute weltweit berühmt, Louis Calaferte, auch er, wenn auch ganz anders, ein authentischer, geheimnisvoller und wertvoller Schriftsteller (...) Man darf Nicole Avril nicht vergessen, auch nicht Pierre Péju, und schließlich weder Jean-Jacques Brochier noch René Bragard oder Bernard Clavel, der so wunderbar von der Rhône erzählt, als diese noch nicht gezähmt war (...) Unter den Jüngsten», schreibt Tavernier zum Schluß, «geht meine Vorliebe an drei hoch talentierte Autoren: Patrick Drevet, Jacques Chauviré und René Belleto.»

Am Ende dieser langen Geschichte bleiben noch ... Historiker zu nennen, von denen es auch viele hier gab: von Charléty und A. Kleinclausz, um nur zwei Zeitgenossen zu zitieren, bis zu Edouard Herriot, gleichermaßen ein Mann feiner Bildung wie ein großer Verwalter der Stadt, der sicherlich nicht der Einzige war, der gedacht und geschrieben hat: « Mir ist Lyon lieb und teuer geworden, ich möchte es nicht mehr missen.»

Peinture murale du musée urbain Tony Garnier aux «Etats-Unis». Création et réalisation, Cité de la Création.

Wandmalerei am Städtischen Tony Garnier Museum im «Etats-Unis» (US!) genannten Viertel. Ein Werk der Cité de la Création.

Mural painting of the Tony Garnier Town Museum in the «United States». Created and produced by the Cité de la Création.

La façade du théatre des Célestins, telle que Gaspard André la conçut vers la fin du XIX°. Superbe mosaïque de la Bourse du Travail.
Die Fassade des Célestins Theaters, so wie Gaspard André sie Ende des 19. Jhdts entwarf. Ein herrliches Mosaik am Tempel der Arbeit (Bourse du Travail).
The facade of the Célestins Theatre such as it was designed by Gaspard André towards the end of the 19th century. Superb mosaic at the Bourse du Travail (Labour Exchange).

A LA DECOUVERTE DE LYON

WIR ENTDECKEN LYON

DISCOVERING LYONS

Découvrir, en flânant, Lyon, au fil de ses quartiers, de ses rues qui nous content, à leur tour, ce que fut une grande ville à travers les âges...

Abordons la ville par l'une de ses lisières. Qui est aussi l'aspect soit de la ville neuve -la partie qui s'est récemment étendue - ou soit de la ville façonnée village: Montchat, Grange-Blanche, Etats-Unis, Monplaisir en constituent l'essentiel. Leur traversée nous mène droit au coeur de cette rive gauche que l'on peut évidemment «entamée» par le site de la Part-Dieu. Dont le nom évoque une vieille famille et plus précisément une dame: Catherine de Mazenod, dame de la Part-Dieu, épouse de Maurice-Amédée de Servient, chevalier et seigneur de la Balme. Une dame à qui il arriva une triste aventure au début du XVIIIème siècle. Son carrosse fut pris dans la cohue innommable de la fête de Saint-Denis de Bron, le 11 octobre 1711, qui déferlait depuis le pont de la Guillotière jusqu'à cette bourgade alors située en Dauphinée. C'est sur ce pont que se produisit le désastre et le carrosse bloqué provoqua la mort de plusieurs dizaines de personnes écrasées par la foule ou projetées et noyées dans les eaux du Rhône. On raconta que Mme Servient, fortement ébranlée par ce drame, culpabilisée, fit don, en signe expiatoire, aux Hospices de Lyon de tous ses terrains de la Part-Dieu... De nos jours, les seules cohues pourraient être, à la Part-Dieu, celles

Lyon bei einem Stadtbummel entdecken, seine Stadtviertel und Straßen, die uns ihrerseits erzählen, was diese große Stadt im Laufe der Zeiten einmal war...

Erobern wir die Stadt vom Stadtrand her. Hier entdecken wir die neuen Wohnviertel, die jüngsten von der Stadt eroberten Gebiete, oder auch Viertel mit ihrem eigen kleinstädtischen Charakter: im Wesentlichen Montchat, Grange-Blanche, Etats-Unis und Monplaisir. Wenn wir sie durchquert haben, stoßen wir unweigerlich auf die Stadtteile am linken Rhôneufer, die man ideal in der «Part-Dieu» angehen kann. Dieser Name erinnert an eine alte Familie, genauer noch an eine Dame: Catherine de Mazenod, edle Dame der Part-Dieu, Gemahlin von Maurice-Amédée de Servient, Ritter und edler Seigneur der Balme. Dieser Dame widerfuhr, Anfang des 18. Jahrhunderts, ein großes Mißgeschick. Ihre Kutsche gelangte mitten in die Menschenmenge, die, über den Pont de la Guillotière, damals die einzige Rhônebrücke, zum Fest des Heiligen Dionysius nach Bron strömte, das damals noch zur Grafschaft Dauphiné gehörte. Auf der Brücke nun kam es zur Katastrophe: einige Dutzend Personen kamen unter die Räder der Kutsche oder wurden in die Rhône geschleudert, wo sie ertranken. Man erzählt, Madame Servient sei von diesem Drama so erschüttert gewesen, daß sie, geplagt von Schuldgefühlen, als Zeichen der

Discover Lyons as you stroll through its districts; its streets will relate the story of what was a great city through the ages....

We arrive at the city through one of its suburbs. It has the appearance of both the new city, the section which has recently expanded, and the appearance of a small village: Montchat, Grange-blanche, Etats-Unis, Monplaisir forming the most essential. Crossing here leads us right to the heart of the left bank where we can start with la Part-Dieu. The name calls up an old family more precisely a woman : Catherine de Mazenod, lady of the Part-Dieu, wife of Maurice Amédée de Servient, knight and lord of la Balme. A lady who met with a tragic experience at the beginning of the eighteenth century. Her horse-drawn coach was caught up in the unspeakable crowd on Saint-Denis de Bron day, October 11, 1711, which paraded from the bridge of the «guillotière» up to this small town at this time situated in Dauphiné. It is on this bridge that the disaster occured and the blocked carriage caused the deaths of several tens of people who were either crushed by the crowd or thrown into the Rhône river where they drowned.

It is said that Mme Servient, seriously shaken in this incident, feeling guilty, donated all the grounds of the Part-Dieu to the Hospices de Lyon, as a sign of atonement... Today, at the Part-Dieu, the only crowds are those

des Lyonnais qui se pressent dans ce royaume du béton, poussé sur un site naguère militaire et devenu un symbole, apprécié ou décrié, de la modernité voulue du temps du maire Louis Pradel. On y retrouve bâtiments administratifs (Hôtel de la Courly), à vocation culturelle (Bibliothèque municipale, auditorium Maurice Ravel, maison de la Radio et de la Télévision))et commerciale (De la Halle de Lyon, loin des souvenirs de celle des Cordeliers, au centre commercial, étonnant décor fermé, fait de galeries, de niveaux, de parking, etc.), sans oublier la gare qui a supplanté celle des Brotteaux; le tout dominé par un «crayon» qui n'est autre qu'une tour défiant les deux vieilles collines - Fourvière et Croix-Rousse - qui ne se sont pas encore remises d'une telle audace...

Pour rejoindre quelques espaces verts, se replier, toujours rive gauche, sur les Brotteaux. D'accord: si, à l'origine les «broteaux» étaient des terrains sur lesquels broutaient les animaux - jusqu'au XVIIIème siècle encore - il n'est guère aujourd'hui possible de constater pareilles choses. Les immeubles cossus ont remplacé les prés à bestiaux mais le Parc de la Tête d'Or a conservé à l'endroit une partie de son charme naturel. C'est le préfet Vaïsse, Haussmann lyonnais, qui conçut le projet de création de ce vaste espace. Les travaux commencèrent en 1856 après que la ville eut acheté cinq hectares de terrain et chargé le paysagiste Bühler de mener à bien l'affaire. Ce dernier transforma ces «broteaux» incultes, voire peu fréquentables, en un parc magnifique avec un lac isolant deux îles boisées. Zoo, serres et roseraie rivalisent pour la détente des Lyonnais et de leurs hôtes...

De l'autre côté de la Part-Dieu, la Guillotière nous offre... les mystères de son origine. Selon certaines sources, «avant le XIVème siècle, il y avait, à l'entrée du faubourg, une grange dont le propriétaire, nommé Grillot, servait à boire et à manger. Comme cette auberge était très fréquentée, on

Reue, dem Hospiz von Lyon alle Gelände der Part-Dieu überließ. Heute drängt sich hier die Menschenmenge in die Tempel aus Beton, angelockt von einem Ensemble, das früher einmal ein militärisches Übungsgelände war und heute das Symbol - gehaßt oder angehimmelt - des Modernismus ist, wie er zur Zeit von Oberbürgermeister Pradel geschätzt und gewünscht wurde. Man findet dort Verwaltungsgebäude (so den Sitz der «Courly» des Städteverbundes von Lyon), kulturelle Gebäude (die Stadtbibliothek, das nach Maurice Ravel benannte Auditorium, ein Konzertsaal mit mehr als 2000 Sitzplätzen, den Sitz und Sender der staatlichen Radio- und Fernsehanstalten), ein Einkaufszentrum, nach außen vollkommen geschlossen, in dessen mehreren Etagen sich über 250 Ladengeschäfte, Parkhäuser, aber auch ein Wasserfall und Springbrunnen verstecken, und schließlich eine Markthalle, die allerdings kaum noch etwas mit ihrer Vorgängerin im Cordeliers-Viertel gemein hat. Schließlich der Bahnhof Part-Dieu, der den Bahnhof Brotteaux verdrängt hat. Das Ganze wird überragt von einem, liebevoll «Bleistift» genannten, runden Wolkenkratzer, der den beiden traditionsgeladenen Hügeln Fourvière und Croix-Rousse die Stirn bietet, wovon sich diese beiden noch immer nicht erholt haben.

Auf der Suche nach ein wenig Grün ziehen wir weiter ins Brotteaux-Viertel. Natürlich ist heute nichts mehr davon zu bemerken, daß die «brouteaux», von Französisch «brouter - weiden» eben einmal, und das bis ins 18. Jahrhundert, Wiesen und Weiden gewesen sind. An ihrer Stelle sind behäbige Wohnblöcke entstanden. Doch im Parc de la Tête d'Or ist noch viel vom alten Charme erhalten. Das Projekt für diese weitläufige grüne Oase verdanken wir dem Präfekten Vaisse, dem Haussmann von Lyon. Die Arbeiten begannen im Jahre 1856, nachdem die Stadt fünf Hektar Land aufgekauft hatte. Mit der Durchführung

made up of people from Lyon who are squashed up in this small realm of concrete, pushed onto a former military site which has become a symbol, whether appreciated or discredited, of the modernity wanted during the period of mayor Louis Pradel. There one finds administrative buildings (Hôtel de la Courly), those with a cultural purpose (Municipal Library, Maurice Ravel auditorium, Maison de la radio et de la télévision) and commercial (the Halle de Lyons, far away from the memories of the Halle des Cordeliers, in the city centre, with its surprising closed-in decor made up of galleries, several levels, parking area, etc) without forgetting the train station that superseded that of les Brotteaux ; the entire area dominated by a «crayon» which is nothing but a tower defying the two old hills, Fourvière and Croix-Rousse, who have not yet recovered from such audatiousness.

To get back to some green spaces, always on the right bank, on les Brotteaux. Agreed : if, at the beginning the «brotteaux» were fields on which animals grazed - even up until the 18th century - it is hardly possible today to notice the same thing. The opulent looking appartments have replaced the grazing fields, but the Parc de la Tête-d'Or has retained here a part of its natural charm. It was the Préfet Vaisse, the Haussmann of Lyon who devised the idea of the creation of this vast space. The work started in 1856 after the city had bought five hectares of land and requested the landscape painter Buhler to see the project through. The latter transformed these uncultivated even unpleasant «broteaux» into a magnificent park with a lake containing two wooded islands. The zoo, greenhouse and rosegarden rival each other as places where the Lyonnais and their guests can relax.... On the other side of the Part-Dieu, la Guillotière offers us..... the mysteries of its origin. According to certain sources, «Before the 14th century, there was, at the entrance of the

Fleurs et plantes de toutes espèces font de la roseraie du Parc de la Tête d'Or un site exceptionnel.

Nicht nur Rosen machen aus der Rosenschau im Parc de la Tête d'Or einen der schönsten Winkel in ganz Lyon.

Flowers and plants of all kinds make the rose garden of the Parc de la Tête d'Or an exceptional site.

désigna bientôt cette partie du mandement de Béchevelin, par le nom de Grillotière et, par corruption, Guillotière.»

Nous ne suivrons pas d'autres analyses étymologiques, aussi convaincantes les unes que les autres, mais signalerons simplement quelle vocation fut celle de ce quartier, au XIXème siècle: «... A la Guillotière, c'est par le roulage que le gros village s'est fait faubourg de peuplement au débouché du pont du Rhône. Sous l'Empire apparaissent les premières fabriques nauséabondes que refuse Lyon: vitriolerie de la Lône et savonneries des frères Coignet...» D'autres, contemporains de cette dure période, se montreront sans pitié:

«... A la Guillotière, qui n'est séparée que par le Rhône du quartier le plus aristocratique, se présente une face bien différente de la vie sociale. Là, campe la partie la plus nomade de la population; là se sont donné rendez-vous les gens tarés et sans aveu, en un mot les éléments viciés qu'une grande agglomération d'hommes renferme presque toujours dans son sein...»

Redoutable réputation qui n'est plus qu'un mauvais souvenir et vers la fin de ce même siècle, en 1896, les Facultés prendront même place, en bordure de ce quartier accusé de tous les péchés, le long du Rhône qui a si souvent jailli, par ses terribles colères.

Plus au sud, à Gerland, vous trouverez, en rencontrant une vaste Halle qui porte son nom - aujourd'hui centre de nombre de manifestations culturelles - un stade qui lui doit d'être sorti de terre, l'empreinte de celui qui fut un des plus grands architectes lyonnais: Tony Garnier (1869-1948), également concepteur de l'hôpital de Grange-Blanche et du quartier des Etats-Unis. Il nous faut, de là, passer le Rhône et gagner la Presqu'île.

Le quartier d'Ainay? Son église, Saint-Martin d'Ainay, bien sûr. Belle, robuste et romane, elle porte le titre de plus ancienne église de Lyon, consacrée en l'an 1107 par le pape Pascal

wurde der Landschaftsgestalter Buhler beauftragt, der aus diesen nicht bebauten, und darüber hinaus in schlechtem Ruf stehenden, Weiden einen herrlichen Park schuf, mit einem See mit zwei baumbestandenen Inseln. Ein Zoo, riesige Treibhäuser und eine Rosenschau rivalisieren um die Gunst der Stadtbewohner und deren Besucher. Auf der anderen Seite der Part-Dieu, aber immer noch diesseitig der Rhône, erstreckt sich das Guillotière-Viertel, das uns ... das Geheimnis seines Namens bis heute nicht preisgegeben hat. Nach einer der Erklärungen soll hier im 14. Jahrhundert, am Eingang des Vorortes, eine Scheune gestanden haben, deren Besitzer, der Grillot hieß, Speise und Trank servierte. Da diese Herberge stark besucht war, wurde dieses Viertel bald Grillotière genannt, aus dem dann Guillotière wurde.

Wir wollen keinen anderen etymologischen Analysen nachgehen, die alle gleichermaßen überzeugend sind. Erwähnt sei nur, welche Aufgabe dieses Viertel im 19. Jahrhundert erfüllte: «Dieses große Dorf wurde Dank der roll-on-roll-off Technik ein bedeutender Vorort von Lyon, gleich am Ausgang der Brücke über die Rhône. Zur Zeit des Empire entstanden die ersten übelriechenden Fabriken, die Lyon nicht wollte: die Vitriolfabrik la Lône und die Seifenfabrik der Gebrüder Coignet.» Einige Zeitgenossen dieser schwierigen Zeit sagen erbarmungslos und offen, was sie denken: «In der Guillotière, die nur durch die Rhône vom aristrokatischsten Viertel getrennt ist, tut sich ein ganz anderer Aspekt des Soziallebens auf. Hier haust der wenig seßhafte Teil der Bevölkerung: hier geben sich Korruptheit und dunkle Gesellen ein Stelldichein, kurz gesagt, alle lasterhaften Elemente, die eine große Menschenansammlung fast immer in ihrem Herzen trägt.»

Ein fürchterlicher Ruf, heute jedoch nur noch finstere Erinnerung. Gegen Ende des letzten Jahrhunderts, im Jahre 1896, errichtete man hier, am

suburb a barn whose owner, named Grillot, would serve to drink and to eat. As this inn was very popular, this part of the Béchevelin «mandement» was soon designated by the name of Grillotière and by corruption Guillotière.

We will not follow any other etymological analyses, all as convincing as each other but we will simply state the vocational activities in this area in the 19th century».... At the Guillotière, it's due to haulage that the large village became a populated suburb situated at the end of the Rhône bridge. Under the authority of the Empire the first badly smelling factories rejected made their appearance : the Lône sulphuric acid industry and the Coignet brothers' soap factory....» Others, contemporaries of this difficult period were to show themselves without pity :».... At la Guillotière, which is separated from the most aristocratic area only by the Rhone, there was totally different view of social life. There, the most nomadic part of the population camped out ; there, the depraved and the disreputable used to meet, in short, the contaminated elements that a large conglomeration of people usually keep hidden within themselves....»

This dangerous reputation is now nothing more than a bad memory and near the end of the same century, in 1896, the Faculties were established, alongside this area accused of all sins, along the Rhône which so frequently gushed forth, due to its fearsome anger.

Further south, at Gerland, you will find, on encountering a huge Hall which carries its name - today centre of several cultural events - a stadium that owes its existence to one of the most famous architects of Lyons : Tony Garnier (1869-1948), who was also the ideas man of the Grange-Blanche hospital and the Etats-Unis area. From here, we must cross the Rhône, to the Presqu'île.

Cannes? Nice? Non, place Antonin Poncet à Lyon.

Ein Foto aus Cannes oder Nizza? Nein, es zeigt den Place Antonin Poncet in Lyon.

Cannes? Nice? No. place Antonin Poncet in Lyons.

II. Mais Ainay, c'est aussi le coeur riche et le pas feutré de la ville. Nous laissons à l'ami Jean Dufourt et à Calixte le soin de nous le démontrer: «Le 26 octobre 1935, eut lieu, en la basilique d'Ainay, le mariage de notre chère Thérèse. Il m'est agréable de noter que, malgré le malheur des temps, il n'eut pas moins d'éclat que celui de Gaëtane Sévère et d'Ariste Grivolin. J'ajouterai qu'au soir de cette journée solennelle passée au milieu des Gentils, des Cornut, des Bastien, des Nandelon, des Dublanchet et des Pansa, je me sentis tout à fait rassuré et de nouveau plein de confiance en l'avenir de Lyon. La famille Gentil - c'est incontestable - ne fait point partie de nos trente-deux familles. Elle n'est peut-être que la deux cent trentième ou la trois cent sixième de notre ville. Mais la vérité m'oblige à reconnaître qu'elle compte, néanmoins, parmi ses membres, des gens fort intelligents et fort cultivés, d'un solide bon sens, d'une civilité parfaite, d'une bonhomie très fine et souvent exquise. (...) - C'est vraiment un jour mémorable, dis-je alors à mon vieil ami. Non, non, notre bonne société n'est pas morte. Et je ne serais pas surpris que nous assistions prochainement à un magnifique renouveau de nos grandes familles. Et Calixte me répondit avec attendrissement: - Je le crois, Philippe, je le crois.» (1)

Pour le reste, à moins de nous quitter en prenant le chemin de la gare de Perrache - mise en service en juin 1857 -, c'est une histoire de places. Celle du Roi-Soleil, la place Bellecour. Où, en hommage à Louis le quatorzième, fut plantée, en son centre, en 1713, la statue équestre du monarque, fondue à Paris grâce aux mains expertes des frères Keller sur des dessins d'un sculpteur hollandais dont on retiendra le second patronyme: Desjardins, ainsi appelé depuis le jour où il avait participé à l'élaboration des «jardins» versaillais... La statue connut les foudres de 1789 et en 1825 apparut un nouvel ouvrage qui

Rande dieses Viertels, dem alle Sünden vorgeworfen wurden, entlang der Rhône, die so oft wütend über ihre Ufer getreten war, die Uiversität.

Noch weiter südlich, im Gerland-Viertel, befindet sich eine weitläufige Halle gleichen Namens, in der heute unzählige kulturelle Veranstaltungen stattfinden, und ein Stadion, das auch er entworfen hat: Tony Garnier (1869 - 1948), einer der größten Lyoner Architekten, dem die Stadt auch das Krankenhaus von Grange-Blanche und das neue Stadtviertel Les Etats Unis verdankt. Von hier aus überqueren wir nun die Rhône und gelangen auf die Halbinsel, also ins Zentrum der Stadt.

Im Ainay-Viertel erhebt sich natürlich die Kirche Saint-Martin d'Ainay. Diese robuste romanische Basilika ist heute die älteste noch stehende Kirche der Stadt; sie wurde 1107 von Papst Paschalis II. geweiht. Doch ist das Ainay-Viertel auch das feinste und reichste der Stadt, in dem man nur vorsichtig auftritt. Überlassen wir es Jean Dufourt und seinem «Calixte» *(Titelheld eines Romans, der den «echten» Lyoner persifliert, Anm. des Ü.)*, dies zu beweisen: «Am 26. Oktober fand in der Basilika von Ainay die Hochzeit unserer lieben Therese statt. Es ist mir angenehm, hier zu bemerken, daß sie, trotz der schlechten Zeiten, nicht weniger prunkvoll ausfiel, als die der Gaetane Sévère mit Ariste Grivolin. Ich möchte hinzufügen, daß ich mich am Abend dieses feierlichen Tages, verbracht im Kreise der Gentils, Cornut, Bastien, Nandelon, Dublanchet und Pansa, völlig beruhigt fühlte und von Neuem erfüllt mit Vertrauen in die Zukunft von Lyon. Die Familie Gentil - das ist unleugbar - gehört keineswegs zu unseren zweiunddreißig Familien. Sie ist vielleicht nur die zweihundertdreißigste oder dreihundertsechste unserer Stadt. Doch zwingt mich die Wahrheit einzugestehen, daß sie, nichtsdestoweniger, recht intelligente und kultivierte Leute in ihren Reihen zählt, mit einem gesunden

The Ainay area ? Its church, Saint-Martin of Ainay, of course. Beautiful, strongly-built and Romanesque, she carries the little of being Lyons' oldest church, consecrated by Pope Pascal II in 1107. But Ainay is also the rich heart and the muffled tread of the city . We will entrust our friend Jean Dufourt and Calixte with the task of showing it to us : «October 26, 1935 saw the marriage of our dear Thérèse in the Basilica of Ainay. I'am happy to note that despite the misfortune of the times, there was no less brightness than at the mariage of Gaetane Sévère to Ariste Grivolin. I must add that I felt at ease again, full of confidence in Lyon's future, on the evening of this solemn day passed in the company of the Gentils, the Cornut, the Bastien, the Nandelon, the Dublanchet and the Pansa. The Gentil family - it's indisputable, does not form part of our thirty-two families. It's perhaps only the two hundred and thirtieth or the three hundred and sixth in our town. But the truth obliges me to recognize the fact that this family counts, never the less, among its members, people who are very intelligent and very cultivated, and who have sound good sense, perfect civility and a very fine and often exquisite sense of good-heartedness.

(.....) - It really is a memorable day, I said then to my friend. No, no, the best society is not dead. And I shouldn't be surprised if we soon see the magnificent revival of pur important families. And Calixte replied with emotion : - I believe it, Philippe, I believe it.» Inasfar as the rest is concerned, unless we leave each other by taking the road to Perrache railway station put into service in June 1857 - it is a history of squares. That of the Sun King, Place Bellecour. Where, in tribute to Louis XIV, was placed in its centre in 1713 the equestrian statue of the monarch casted in Paris thanks to the expert hands of the Keller Brothers and based on the drawings of a Dutch sculptor whose second surname

En bordure de la Saône accueillante à la navigation, le Palais de Justice aux 24 colonnes de l'architecte parisien Baltard.

Der Justizpalast mit seinen 24 Säulen, ein Werk des Pariser Architekten Baltard, steht am Ufer der Saône und grüßt die Schiffer.

On the banks of the River Saône, particulary suitable for navigation, stand the Law Courts with their 24 columns by the Parisian architect Baltard.

reprit sa place grâce au sculpteur Lemot...

Proche, vers les quai du Rhône, le site du plus vieil hôpital de Lyon, là où un hôpital pour les pauvres fut fondé dès le Vème siècle. Plus tard, l'Hôtel-Dieu reçut de Soufflot cette majestueuse façade, que domine le grand dôme, et que l'on peut toujours observer.

Par l'ex-rue Impériale, naturellement devenue «de la République», et vouée aux piétons, nous gagnons la place des Cordeliers, ainsi nommée car les Franciscains, au XIIIème siècle, s'y installèrent et leur tenue - robe de bure ceinte d'un cordon blanc - les firent désigner sous le vocable de «Cordeliers». Le lieu y puisa son nom. Le Palais de la Bourse et du Commerce est là, aussi, tout près, en preuve tangible de cette prospérité née au XIXème siècle...

Poussant plus loin, la place des Terreaux nous apparaît, avec son imposant Hôtel de ville. Construit à partir de 1646 sous la direction de Simon Maupin, il fut détérioré par un incendie et rétabli grâce à Hardouin-Mansart. Mais la place par elle-même, où crachent les chevaux de la fontaine Bartholdi (le père de la Statue de la Liberté), doit son nom au mot «terreau» ainsi qu'à la situation particulière qu'elle occupait jadis, entre «terre» et «eau».

Juste au-dessus nous guette la Croix-Rousse. Que nous raconte un pur et vieux Lyonnais: «... Mon premier souvenir de Lyon, c'est la Croix-Rousse, pour les Lyonnais le Plateau... Ne dit-on pas couramment «descendre en ville» pour aller à Lyon et on y remonte, si on veut se dégourdir les jambes et économiser la «Ficelle» - diminutif charmant pour dire le funiculaire -, par la montée Saint Sébastien, la Grand'Côte, la montée des Carmélites, ou encore par le boulevard des Chartreux, que couronne le dôme de Saint-Bruno et, d'où l'on peut admirer un des plus beaux paysages de la Saône, de Fourvière à Vaise. Si vous

Menschenverstand, einer perfekten Höflichkeit, einer äußerst feinen, oft exquisen Biederkeit. (...) "Dies ist wirklich ein denkwürdiger Tag", sage ich also zu meinem alten Freund. Nein, nein, unsere feine Gesellschaft ist nicht tot. Und es würde mich nicht wundern, wenn wir bald eine wunderbare Neugeburt unserer großen Familien erleben wüdren'. Und Calixte antwortete mir voller Rührung: "Ganz meiner Meinung, Philippe, ganz meiner Meinung".» (1)

Der Rest, es sei denn wir trennen uns hier in Richtung Bahnhof Perrache - der 1857 eingeweiht wurde - ist eine Geschichte von Plätzen. Der des Sonnenkönigs, der Place Bellecour. In dessen Mitte wurde, zu Ehren von Ludwig XIV., 1857 eine Reiterstatue des Monarchen errichtet, gegossen in Paris von den Gebrüdern Keller, nach den Zeichnungen eines holländischen Bildhauers, dessen Beinamen wir festhalten wollen: Desjardins, so genannt, weil er an der Gestaltung der Gärten (jardins) von Versailles teilgenommen hatte. Die Statue fiel 1789 den Gewittern der Französischen Revolution zum Opfer. 1825 erschien auf dem Platz ein neues Werk, geschaffen vom Bildhauer Lemot.

Ganz in der Nähe, Richtung Rhône, erhebt sich das älteste Hospital der Stadt, schon im 5. Jahrhundert als Armenhospiz gegründet. Das Hôtel-Dieu erhielt seine majestätische Fassade, über der sich der Kuppelbau erhebt, vom Architekten Soufflot.

Durch die ehemalige «rue Impériale», natürlich umgetauft in «Rue de la République», gelangen wir zum Cordeliers-Platz. Er verdankt seinen Namen den Franziskanern, die sich hier im 13.

Jahrhundert ansiedelten, und deren braune Kutte, die von einer «Kordel» zusammengehalten wurde, ihnen den Namen «Cordeliers» einbrachte. Gleich gegenüber der gotischen Kirche erhebt sich die Börse, erneuter Beweis für den im 19. Jahrhundert ausbrechenden Wohlstand.

we remember : Desjardins, so called since the day he took part in the development of the Versailles «gardens»... The statue experienced the thunders of 1789 and in 1825 another work took its place, thanks to the sculptor Lemot....

Nearby, close to the Rhône embankment, is the site of Lyon's oldest hospital, where a hospital for the poor was founded in as early as the 5th century.

Much later, Soufflot gave l'Hôtel-Dieu it's majestic facade dominated by the great dome and which can still be seen today.

Through ex-Rue Impériale, naturally become «de la République», now a pedestrian street, we come to Place des Cordeliers, so named because the Franciscans lived here during the 13th century and their brown frock tied with a white cord, caused them to be named «Cordeliers». The name was given to the square. The Palais de la Bourse et du Commerce is also there nearby as a tangible proof of this prosperity that saw the day during th 19th century.

Further on, we find Place des Terreaux with its imposing town hall. Building began in 1646 uder the direction of Simon Maupin, but it was damaged by fire and later restored thanks to Hardouin-Mansart. But the square in itself, with the horses of the fountain by Bartholdi (the father of the Statue of Liberty), owes its name to the word «terreau» because of the particular situation it used to occupy between «terre» (earth) and «eau» (water).

Overlooking us is the Croix-Rousse. Its story is told to us by a pure, old Lyonnais: «My first memory of Lyons is the Croix-Rousse, for the people of Lyons, the Plateau. It is quite common to say «to go down to town», for going into Lyons and you go up, if you want to stretch your legs and save the fare for the «Ficelle», charming nickname given to the funicular, by the Montée Saint Sébastien, the

La gare des Brotteaux, aujourd'hui salle des ventes, a naguère symbolisé l'irrésistible élan du chemin de fer.

Im ehemaligen **Bahnhof Lyon-Brotteaux,** einst Symbol des unwiderstehlichen Elans der Eisenbahn, finden heute Versteigerungen statt.

Brotteaux station, now an auction room, used to be the symbol of the irresistible progress of the railway.

Ici, le temps s'arrête, le cadre se prête à la méditation...

Hier scheint die Zeit still zu stehen, man verfällt leicht ins Meditieren...

Here time comes to a standstill. The setting lends itself to meditation.

voulez vraiment connaître la Croix-Rousse, il faut l'aborder par la Grand'Côte. Oubliez un instant les habitants insolites qui occupent aujourd'hui les flancs du coteau et ne pensez qu'aux canuts d'hier, «les ouvriers en soie» (...) Vous partez ainsi de la rue des Capucins, vous montez par la Grand'Côte où la pente est si raide que vous ne rencontrez ni voiture, ni même un cycliste. De vieilles maisons bordent les trottoirs; elles suintent la misère par des allées, des arrière-cours sordides. Mais l'horizon se dégage vite et, arrivé au sommet, vous découvrirez jusqu'aux monts du Lyonnais, et à certains jours, jusqu'à la cime bleutée du Pilat. Vous voilà à la Croix-Rousse, près du Gros-Caillou, et ce sont pour ma part ces images aux contours estompés, qui reforment le tréfonds de mes impressions d'enfant...» (2)

Vous y découvrirez aussi, avec un brin de nostalgie qui n'est plus, comme chacun sait, ce qu'elle était, un personnage typique, dans un clos, adepte de la «lyonnaise», du jeu de boules en vigueur entre Rhône et Saône...

Traversons la Saône et gagnons le «Vieux Lyon». Qui peut se décomposer en cinq quartiers: Saint-Paul, Le Change, le Palais de Justice, Saint-Jean et Saint-Georges. Ensemble quasiment unique où l'on découvre, au détour de chaque rue ou ruelle, un témoignage de la Renaissance lyonnaise. De ces maisons, dont la construction s'échelonne sur près de trois siècles (XVè au XVIIème), s'échappe la quintessence d'une remarquable architecture domestique, que ce soit rue Saint-Jean, naguère fréquentée par le clergé, les banquiers et les officiers royaux, ou rue Mercière, fief des marchands prospères du quartier Saint-Nizier. Une énumération nous mènerait fort loin. Parmi les édifices les plus représentatifs et chargés d'histoire, l'hôtel Gadagne, qui détient et abrite maintenant les riches heures du passé de la ville. Construit à partir de 1511, acheté en 1545 par les banquiers et

Ein Stück weiter nördlich gelangen wir auf den Place des Terreaux, an dem sich das imposante Rathaus erhebt. 1646 wurde mit seinem Bau, unter der Leitung von Simon Maupin, begonnen. Nachdem es von einer Feuersbrunst schwer in Mitleidenschaft gezogen worden war, wurde es unter Hardouin-Mansart wiedererrichtet. Der Platz selber, auf dem die Pferde des Brunnens von Bartoldi (des Vaters der Freiheitsstatue in New York) Wasser aus ihren Nüstern speien, verdankt seinen Namen der Erde (auf Französisch «terreau»), die hier aufgeschüttet wurde, um den Zusammenfluß von Rhône und Saône weiter nach Süden zu verlegen.

Gleich hinter dem Place des Terreaux erhebt sich der Croix-Rousse-Hügel. Dazu erzählt uns ein alteingesessener Lyoner: «Meine erste Erinnerung an Lyon ist das Croix-Rousse-Viertel, für uns Lyoner das Hochplateau... Ist es hier oben nicht geläufig zu sagen "wir steigen in die Stadt hinab", wenn man nach Lyon will, und man steigt auch wieder hinauf, zu Fuß natürlich, um das Geld für die Zahnradbahn zu sparen, über die Montée Saint Sébastien, die Grand'Côte und die Montée des Carmélites, oder auch über den Boulevard des Chartreux, an dessen Ende sich die ehemalige Kartäuserkirche St. Bruno erhebt, eine rein barocke Kirche mit ihrem Baldachin aus echter Seide unter der gewaltigen Kuppel. Von hier hat man einen der schönsten Panoramablicke auf das Saônetal, von Fourvière bis Vaise. Wenn Sie das Croix-Rousse wirklich kennenlernen wollen, sollten Sie die Grand'Côte hinaufsteigen. Dabei muß man die recht eigenartige Fauna, die sich hier heute tummelt, ein wenig vergessen, und sollte nur an die Weber, die «Seidenarbeiter» von früher denken (...) Ausgehend von der Rue des Capucins steigen Sie so die Grand'Côte hinauf, die so steil ist, daß man weder Autos noch Fahrrädern begegnet. Alte Häuser stehen an den Bürgersteigen entlang; hier quillt die

Grand'Côte, the Montée des Carmélites, or the Boulevard des Chartreux, crowned by the Dome of Saint Bruno's from where you can admire one of the finest views of the Saône, Fourvière and Vaise. If you really want to know the Croix-Rousse, you must approach by the Grand'Côte. Forget for a moment the strange inhabitants that live today on its slopes and just remember the «canuts» of yesterday, the «silk weavers» (...). Start from rue des Capucins and go up the Grand'Côte where the slope is so steep that you will not meet a single car, nor even a bicycle. Old houses line the pavements, misery transpires from alleys and squalid back yards. But the horizon soon clears and, as you reach the summit, you will discover the Monts du Lyonnais and, on certain days, when the weather is clear the blue peak of Mount Pilat. You are now at the Croix-Rousse, near the Gros-Caillou, and for me it is these images with their blurred contours that reform the depths of my childhood impressions». (2)

You will also discover, with a touch of nostalgia which, as everyone knows, is no longer what it used to be, a typical character, adept of the «Lyonnaise», the game of boules played between the Rhône and the Saône.

We will now cross the Saône and make our way to the «Old Lyons» which can be divided into 5 areas: St-Paul, the Exchange, the Law Courts, St-Jean and St-Georges. A unique ensemble where on every corner you will discover examples of the Lyonnaise Renaissance. From these houses, built between the 15th and 18th centuries, escapes the quintessence of a remarkable domestic architecture, whether it be rue St Jean, frequented in bygone years by priests, bankers and royal officers or rue Mercière, fief of the prosperous merchants of the Saint Nizier area. There are far too many to mention them all, but amongst the most significant buildings loaded with history we can mention the Hôtel Gadagne, in which are now housed all

L'anneau du Championnat du Monde 1989 au Parc de la Tête d'Or, et le stade de Gerland de l'Olympique Lyonnais.

Der Ring der Weltmeisterschaften 1989, im Parc de la Tête d'Or, und das Fußballstadion des Erstligisten Olympique Lyonnais in Gerland.

The 1989 World Championship Ring at the Parc de la Tête d'Or and the Olympic Lyonnais stadium in Gerland.

A St. Jean, St. Paul, St. Georges, la Croix Rousse et sur la Presqu'île, traboules et miraboules en tout genre.

Die Altstadt und der Croix Rousse Hügel sind durchwoben von einem Netz geheimnisvoller Gänge, den Traboules.

St Jean, St Paul, St Georges, Croix-Rousse and the presqu'ile with all kinds of «Traboules» and «Miraboules».

négociants florentins, de Gadagne, l'hôtel «est un cnsemble complexe et irrégulier, constitué par plusieurs corps de bâtiments où s'associent les formes d'un gothique tardif et celles de la Renaissance». Au sein du quartier Saint-Paul se présente la galerie de l'hôtel Bullioud, «faite en 1536 à son retour d'Italie par l'architecte Philibert de l'Orme, qui était né à Lyon vers 1514: cette galerie, destinée à relier deux corps de bâtiments au fond d'une cour est un chef d'oeuvre de technique constructive et elle introduit dans un ensemble gothique des formes nettement classiques inspirées de la Renaissance antiquisante. Les Lyonnais, qui n'avaient connu jusqu'alors que la renaissance fleurie, venue de Lombardie, découvraient là un art vraiment nouveau et ils en firent leur profit: l'influence de cette oeuvre juvénile du grand architecte lyonnais (la seule qu'il ait laissée dans sa ville) y fut sans doute déterminante pour les progrès de la renaissance.» (3)

En plein Saint-Jean, on ne peut pas ne pas remarquer - et admirer - ce bel édifice, assemblage de styles:roman pour l'abside et le transept, ogival pour la nef et les tours, gothique pour certaines chapelles et la façade, ainsi se présente la cathédrale Saint-Jean-Baptiste, la «Primatiale des Gaules», commencée au XIème siècle, achevée trois siècles plus tard...

Puisque nous évoquons les lieux de recueillement, montons sur la «colline qui prie», où nous arrivons par la montée de Fourvière. Là, exista à l'origine une église qui porta le titre de «saint Thomas de Cantorbéry» dont on évoque la présence à Lyon alors qu'il avait rompu avec le roi d'Angleterre, cela au XIIème siècle. «Mais la chapelle, fort ancienne et très célèbre, était déjà dédiée à la Vierge. C'est de l'église de Cantorbéry, rajoute l'érudit Louis Maynard, que vint à Lyon l'usage de célébrer la fête de l'Immaculée Conception; et c'est le 8 décembre 1140 que l'église de Lyon la célébra pour la première fois.» Mais l'hom-

Armut aus den Fluren und dunklen Hinterhöfen. Doch öffnet sich bald der Horizont, und von ganz oben entdecken Sie die Monts du Lyonnais, und an manchen Tagen gar den blauen Gipfel des Pilat. Jetzt sind Sie auf dem Croix-Rousse, gleich in der Nähe des «Gros-Caillou» (ein großer Granitblock), und für mich stellen diese Bilder mit ihren unscharfen Konturen, die am tiefsten verankerten Erinnerungen meiner Kindheit dar. (2)

Hier oben werden Sie auch noch, voller Nostalgie, die auch nicht mehr das ist, was sie einmal war, andere typische Bewohner, auf einem abgezäunten Gelände, dem «clos», antreffen, die der «Lyonnaise», einer dicken Bocciakugel, treu geblieben sind, mit der früher nur zwischen Rhône und Saône gespielt wurde.

Überqueren wir jetzt die Saône, so gelangen wir ins «Alte Lyon». Es läßt sich in fünf Viertel unterteilen: St Paul, Le Change (die alte Börse), den Justizpalast, St Johannes und St Georg. Zusammen bilden sie ein in Europa einmaliges Altstadtviertel. An jeder Straßenecke entdeckt man andere Spuren der Lyoner Renaissance. Diese Häuser, deren Konstruktion sich über drei Jahrhunderte erstreckt hat (15. - 17. Jhdt), sind die lebhaften Zeugen einer beachtenswerten Wohn-Architektur, ob nun in der Rue Saint-Jean, in der früher der Klerus ebenso daheim war, wie Bankiers und königliche Offiziere, oder in der rue Mercière, die die wohlhabenden Händler aus dem Viertel rund um St Nicasius fest in der Hand hatten. Eine Aufzählung würde uns entschieden zu weit führen. Unter den repräsentativsten und geschichtsträchtigsten Gebäuden sei das Hôtel Gadagne genannt, in dem heute, im städischen Heimatmuseum, die Schätze einer reichen Vergangenheit aufbewahrt werden. Erbaut ab 1511, wurde es 1545 von einer Kaufmanns- und Bankiersfamilie aus Florenz, den Gadagne, gekauft. Das «Hôtel», wie man in Frankreich die Patrizierhäuser nennt, «ist ein komplettes und unre-

the treasures of a rich past. Building began in 1511, bought in 1545 by th Florentine bankers and merchants, de Gadagne, and is a «complex, irregular ensemble, composed of several buildings where late gothic mingles with Renaissance styles.»

In the heart of the Saint Paul's area is the gallery of the Hôtel Bulliod, «built in 1536 on his return from Italy by the architect Philibert de l'Orme who was born in Lyons in c.1510: the gallery, designed to connect the two buildings at the bottom of a courtyard is a masterpiece of constructive technique and it introduced into a gothic ensemble forms that were notably classical, inspired by the antique Renaissance. The people of Lyons who until then had only known the flowery Renaissance style, come from Lombardie, discovered here a really new form of art and they took benefit from it : the influence of this juvenile work of the great architect from Lyons (the only one he left in his city) was undoubtedly determining for the progress of the Renaissance.» (3)

In the midst of Saint Jean, one cannnot help noticing and admiring this fine building with its collection of styles: Romanesque for the apse and the transcept, Ogival for the nave and the towers, Gothic for certain chapels and the façade. This is the present Cathedral, St Jean Baptiste, the «Primatiale des Gaules» began in the 11th century and finished three centuries later...

And since we are mentioning places of prayer, let us climb the «hill of prayer» where we arrive by the Montée de Fourvière. There, to begin with, there was a church called «St Thomas of Canterbury», who was known to have come to Lyons after having quarrelled with the King of England during the 12th century. «But the chapel, already ancient and very famous was dedicated to the Virgin. It is from the Church of Canterbury adds the erudite Louis Maynard, that the habit of celebrating the Immaculate

Reflets de la vie nocturne à Lyon.
Lyon by Night - im Spiegelbild.
Reflections of Lyons' night-life.

mage prit une autre forme, toujours maintenue de nos jours, lorsque le 8 décembre 1852 le cardinal de Bonald offrit sa bénédiction à la nouvelle statue de la Vierge à Fourvière, instituant du même coup une manifestation religieuse dont, chaque année, on reconduisit le rite. Les bougies, les lumières, les «illuminations» du 8 décembre à Lyon constituent l'une des pieuses originalités à laquelle la ville demeure attachée. Tout comme à cette basilique de Fourvière, conçue à la fin du siècle dernier par l'architecte Bossan, officiellement consacrée en juin 1896, qui dresse sa curieuse silhouette, reconnaissable de loin, véritable image de marque et d'identification, veillant imperturbablement sur les Lyonnais, aux côtés d'une tour métallique qui se voudrait presque une réplique de la Tour Eiffel mais qui se contente d'être un relais de télévision...

On ne peut achever la découverte de Lyon sans avoir emprunté ses traboules. Au risque de se voir taxer de misogynie, nous dirons que les traboules sont comme les femmes, «ce qui entre par une oreille sort par l'autre...» De cette comparaison un peu méchante pour le sexe faible, nous passerons à une évocation moins superficielle de cette particularité lyonnaise. La ville ne détient certes pas l'exclusivité en la matière mais il faut bien reconnaître le charme étrange de ces passages, ces boyaux, transitions entre maisons ou ruelles. Ce système étroit de communication devrait son origine aux lendemains difficiles vécus après la déchéance romaine. Sur la rive droite de la Saône, la place manquait, conséquence d'un surpeuplement dû au reflux, de la colline de Fourvière, d'une population désemparée. Il a donc fallu construire pour le mieux sur une surface restreinte. Depuis, les traboules, sont devenues une partie intégrante du décor de la cité. De la Croix-Rousse au Vieux Lyon surtout jusqu'à la Presqu'île, nous pouvons découvrir «une allée qui traboule».

Le mot vient du latin «trans» et

gelmäßiges Ensemble, zusammengesetzt aus mehreren Gebäudetrakten, an denen die Formen der Hochgotik mit denen der frühen Renaissance verschmelzen.» Im Herzen des St Paul-Viertels stoßen wir auf die Galerie des Hôtel Bullioud, «die Philibert de l'Orme, der gegen 1510 in Lyon zur Welt kam, entworfen hat. Diese Galerie, die zwei Gebäudetrakte, über einen Innenhof hinweg, verbindet, ist ein wahres Meisterwerk der Konstruktionstechnik, das in ein gotisches Ensemble die, eindeutig von der Klassik inspirierten, Formen der antiquisierenden Renaissance einführt. Die Lyoner, die bis da nur die blumige Sprache der Renaissance, die aus der Lombardei stammte, kannten, entdeckten hier eine wirklich neue Kunst, die sie sich zu eigen machten: der Einfluß dieses Jugendwerkes des großen Architekten aus Lyon (übrigens das einzige in seiner Vaterstadt) war sicherlich ausschlaggebend für die Fortschritte der Renaissance.» (3)

Im Herzen des St Johannes-viertel ist es schier unmöglich, das Gebäude, das ihm den Namen und die Seele gab, nicht zu bemerken - und zu bewundern: an der Kathedrale mischen sich die Stile, das Untergeschoß der Apsis und des Querschiffes sind spätromanisch, das Schiff und die Türme stammen aus den verschiedenen Epochen der Gotik, die südliche Seitenkapelle des Charles de Bourbon ist ein absolutes Meisterwerk der Spätgotik, mit ersten Anzeichen der «modernen» Renaissance, die auch an der Westfassade zu finden sind. Die Bauarbeiten an der den beiden Johannes geweihten Kathedrale erstreckten sich also über mehr als drei Jahrhunderte.

Da wir gerade von einer christlichen Kultstätte sprechen, steigen wir gleich hinauf auf den «betenden Hügel», den wir über die Montée de Fourvière erreichen. Dort steht eine unscheinbare Kapelle, die dem Heiligen Thomas Becket geweiht ist, der sich in Lyon aufhielt, nachdem er mit dem König von England, im 12. Jahrhundert, gebrochen hatte. Zuvor, und

Conception came to Lyons, celebrated for the first time on the 5th December 1140». But the tribute took on a different form, still in use today. On the 8th December 1852, Cardinal de Bonald offered his benediction to the new statue of the virgin in Fourvière, thus instituting a religious event, the rite of which was repeated each year. The candles, the lights, the «illuminations» of the 8th December in Lyons are one of the pious originalities to which the city remains attached. Just like the basilica of Fourvière, designed at the end of the last century by the architect Bossan, officially consecrated in June 1896 and which stand with its strange silhouette, recognisable from far away, a real image of identification and continuously keeping her watch over the people of Lyons, next to a metal tower that is almost a replica of the Eiffel tower, but which is in fact just a television relay..... We cannot end the discovery of Lyons without exploring the «traboules». Taking the risk of being treated as misogyne, the traboules can be compared to women. «It goes in one ear and it comes out the other!...» From this comparison which is slightly naughty for the weeker sex we shall go on to an evocation of this particularity of Lyons that is less superficial. True the town does not hold an exclusivity in the matter, but the strange charm should be acknowledged of these passages, transitions between narrow streets or houses. This narrow system of communication probably originated during the difficult times that followed the fall of the Roman Empire. On the right banks of the Saône space was lacking as a result of the overpopulation due to a lost population coming from the hill of Fourvière. So building had to be done for the best within a reduced area. Since then, the «traboules» have become an integral part of the city's image. From the Croix-Rousse to the Old Lyons, especially up to the Presqu'île their isn't an alley that doesn't have its passage. The word comes from the latin «trans» and «ambulare» (to

L'église Saint-Georges, près de la Saône, construite en 1315, à l'initiative des Hospitaliers de Saint-Jean de Jérusalem.

St Georg, nahe der Saône, errichtet im Jahre 1315, auf Initiative des Johanniterordens.

The Church of St Georges, close to the Saône, built in 1315 following the initiative of the Hospitallers of Saint-Jean de Jérusalem.

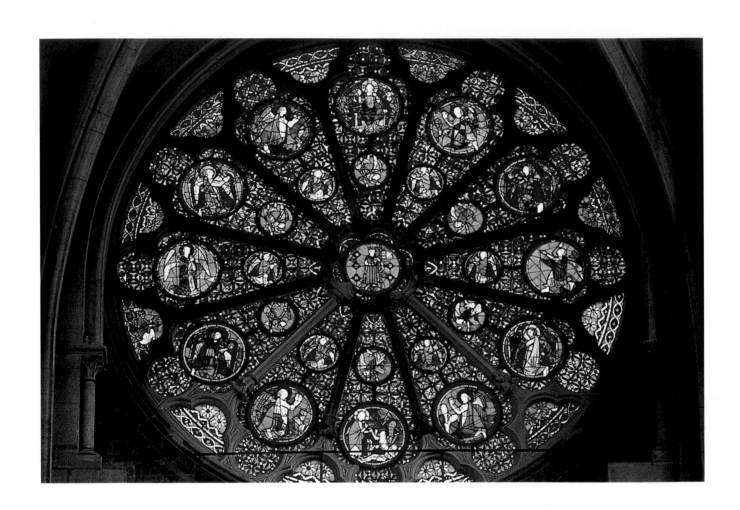

Le Christ entouré d'anges (rosace nord), et
l'horloge astronomique du XIV°, Primatiale
St. Jean.
Christus umgeben von Engeln (auf der
nördlichen Fensterrose) und die
astronomische Uhr, aus dem 14. Jhdt., in der
St Johannes Kathedrale.
Christ surronded by angels (north rosace)
and 14th century astronomical clock.
Primatiale St-Jean.

«ambulare» (se promener à travers) et le savant Clair Tisseur nous dit qu'il fournit naturellement le verbe «trabouler». Connues et parcourues par le Canut, les traboules ont également servi la Résistance durant la dernière guerre mondiale. Ces «couloirs-labyrinthes» s'adaptent, en plus, merveilleusement à la réputation tenace qui colle à la peau du Lyonnais. Ne voit-on pas là s'exprimer l'appât du gain (sur le temps et l'espace) et surtout le goût immodéré pour la discrétion, le secret, voire le mysticisme et l'attrait particulier de la chose cachée chers au «gone»? Mais évoquer tout cela serait une autre histoire, une longue histoire...

seit alters her, war diese Kapelle jedoch der Jungfrau Maria geweiht gewesen. Und Lyon übernahm, so lehrt uns der Heimatforscher Louis Maynard, aus Canterbury das Fest und den Ritus der Unbefleckten Empfängnis, die in Lyon zum ersten Male am 8. Dezember 1140 gefeiert wurden. Doch die Hingabe an Maria nahm Jahrhunderte später eine andere Form an; als nämlich, am 8. Dezember 1852, Kardinal Bonald die neue Statue der Gottesmutter von Fourvière weihte, entstand gleichzeitig ein Volksfest, das noch heute andauert. Die Millionen Kerzen und Lichter der «Illuminations» an jedem 8. Dezember, sind ein lokaler Brauch, an dem die Bürger, ob fromm oder nicht, voller Stolz festhal-

walk through) and the learned Clair Tisseur tells us that is naturally gives us the verb «trabouler». Known and used by the canuts, the traboules were also used by the Resistance during the last World War. These «corridor labyrinths» also adapt marvellously to the character of a Lyonnais. Is this not the expression of a thirst for gain (on time and space) and in particular a great taste for discretion, secrecy and even perhaps mysticism, and a special attraction for the hidden thing, so dear to the «gones»? But to speak of all that would be another story, a long story ....

*
* *

*
* *

---

ten. Wie an der Basilika von Fourvière selbst, die Ende des letzten Jahrhunderts vom Architekten Bossan entworfen und im Juni 1896 offiziell eingeweiht wurde. Sie erhebt sich, mit ihrer eigenartigen Silhouette, die man schon von weitem erkennt, hoch über der Stadt, geradezu ein Marken- und Wiedererkennungszeichen, das unablässig die Lyoner Bürger bewacht. Neben ihr steht ein Turm aus Metall, wie eine Miniaturausgabe des Eiffelturms, der sich jedoch damit begnügt, die Rolle eines Fernsehumsetzers zu spielen.

Man kann eine Entdeckungsreise durch Lyon nicht beenden, ohne «trabuliert» zu haben. Auf das Risiko hin, als frauenfeindlich verschrieen zu werden, möchten wir sagen, daß die «Traboules» wie die Frauen sind, «was ins eine Ohr schallt, kommt aus dem anderen wieder heraus». Nach diesem etwas bösartigen Vergleich mit dem schwachen Geschlecht, möchten wir auf eine weniger oberflächliche Art über diese Lyoner Eigenart sprechen. Die Stadt Lyon ist sicher nicht die einzige, die Derartiges aufzuweisen hat,

doch kann man sich dem eigenartigen Charme dieser Gänge nicht entziehen, diesen Därmen, Transit zwischen Häusern und Gassen. Dieses engmaschige Kommunikationssystem verdankt seine Entstehung drn schweren Zeit, die auf den Untergang Roms folgte. Auf dem rechten Saôneufer war Platz Mangelware, es herrschte Überbevölkerung, da die hilf- und ratlose Bevölkerung die alten Wohnviertel, oben in Fourvière, verlassen hatte. Es hieß also, so gut wie möglich auf so wenig Platz wie möglich zu bauen. Seitdem gehören die Traboules zum Dekor und Alltagsleben der Stadt. Von den Höhen des Croix-Rousse bis hinunter auf die Halbinsel und im Alten Lyon stößt man immer wieder auf einen «Flur, der trabuliert».

Das Wort stammt aus dem Lateinischen «transambulare - hindurchgehen», was, nach dem weisen Clair Tisseur, auf ganz selbstverständliche Art das Verb «trabulieren» ergeben hat. Die alten Weber kannten sie gut, und im letzten Weltkrieg haben sie, beim Verschwinden

so manches Widerstandskämpfers, eine nicht unbedeutende Rolle gespielt. Hinzu kommt, daß dieses Labyrinth wunderbar zum Rufe paßt, der dem Lyoner unausrottbar anhaftet. Kommt hier nicht die Gewinnsucht (Gewinn an Raum und Zeit), vor allem jedoch die unmäßige Neigung zur Diskretion, zum Geheimen, ja zum Mystizismus zum Ausdruck, wie auch die Anziehungskraft, die das Verborgene auf den «Gone», wie der Lyoner sich liebevoll selber nennt? Doch auf das alles einzugehen, ist eine andere Geschichte, eine lange Geschichte...

(1) J. Dufourt : «Les Malheurs de Calixte», Plon 1937
(2) Pierre Antoine Perrod : «Lyonnais», Hachette, 1965
(3) René Jullian ; «Les arts à Lyon et dans le Lyonnais», Ed. Horizons de France

La tour du «Crédit Lyonnais» qui surplombe l'auditorium s'éleva au centre de la Part-Dieu malgré polémiques et contestations.

Das Bürohochhaus des Crédit Lyonnais erhebt sich, gleich neben dem Auditorium, im Herzen der Part-Dieu, allen anfänglichen Protesten zum Trotz.

The «Crédit Lyonnais» tower overlooking the auditorium has been erected in the midst of La Part-Dieu in spite of quarrels and protests.

Ouvrages d'art ou œuvres d'art, les ponts de
Lyon ont tous été endommagés ou détruits
en septembre 1944. De nuit, la passerelle du
Palais de justice, à droite, la passerelle du
collège, une pile du pont Lafayette.

Alle Brücken in Lyon, mit Ausnahme der
Brücke des «Guten Deutschen»(!), wurden
im September 1944 zerstört oder schwer
beschädigt. Die Fußgängerbrücken am
Justizpalast, rechts, und am Gymnasium, ein
Pfeiler der Lafayette-Brücke.

Art work or works of art, all the bridges in
Lyons were damaged or destroyed in
september 1944. The Law Courts
footbridges by night, to the right, the
College footbridge, a pier of the Lafayette
bridge.

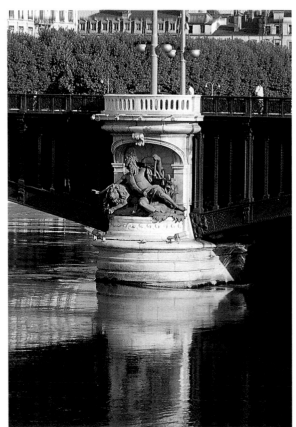

Anciens abattoirs reconvertis en salle à vocation culturelle, la Halle Tony Garnier est célèbre pour sa charpente métallique d'une seule portée.

Die Tony Garnier Halle, einst Schlachthof der Stadt und heute Kulturzentrum, ist berühmt für ihren freitragenden Dachstuhl aus Metall.

At the old slaughter house reconverted into a hall used for cultural events, the Tony Garnier Hall is famous for its single span metal framework.

LYON DEMAIN

DAS LYON VON MORGEN

LYONS TOMORROW

Vivre sur les riches acquis d'un passé où l'ingéniosité et la créativité rivalisèrent en tant que facteurs déterminant de développement, ne saurait, vraisemblablement, satisfaire à la réalisation des ambitions que la ville se doit, le cap mis sur l'an 2000, de présenter.

Les évolutions - pour ne pas parler de «révolutions» en une cité où ce mot prend d'étranges résonances - sont, certes, marquées. Le bourgeois lyonnais, à la mode de celui qui, il y a un siècle, faisait la fortune lyonnaise - celle des grandes familles comme les Bonnardel, les Breittmayer, les Guérin ou les Morin-Pons - n'a plus la même allure de l'âge d'or du «grand capitalisme». Encore que, à l'ombre des persiennes qui ornent ces solides immeubles, témoins de l'opulence d'hier, se perpétuent, en catimini, mais avec un souci de conservatisme appliqué, des rites, ou plutôt des manières d'être - non de paraître - et de penser. Calixte - l'idéal «exemple» lyonnais de l'écrivain Jean Dufourt - pas mort? Voire...

Mais la ville, en partie malgré elle, a basculé dans un monde différent avec la notion, appliquée dans les années 1960, de «métropole d'équilibre», récemment renforcée, excentrée, par l'objectif européen pour lequel Lyon se pose aux avant-postes. Ses atouts sont réels et s'ils découlent d'un passé fructueux, il ne s'agit plus là de l'expression d'une philosophie ou de

Ein Leben aus den reichen Errungenschaften einer Vergangenhait, während der der Einfallsreichtum und die Kreativität miteinander als bestimmende Entwicklungsfaktoren rivalisierten, kann heute wohl kaum noch genügen, um die Ambitionen, die die Stadt, den Blick auf das Jahr 2000 gerichtet, sich selber schuldig ist.

Die Evolutionen - um das Wort «Revolutionen» zu vermeiden, das in dieser Stadt einen bitteren Beigeschmack hat - sind sicherlich beachtenswert. Der bourgeoise Lyoner, im Stile dessen, der, vor einem Jahrhundert, den Reichtum der Stadt ausmachte - mit Namen wie Bonnardel, Breittmayer, Guérin oder Morin-Pons - hat heute die Allüren der goldenen Jahre des «großen Kapitalismus» verloren. Obwohl noch immer, versteckt hinter den Gardinen der soliden Wohnhäuser, die Zeugen einer opulenten Vergangenheit, heimlich und mit einem soliden Sinn für das Konservative, mit Riten, oder besser gesagt einem Lebensstil und einer Denkweisen, auch heute noch mehr Sein als Schein, weiterleben? Ob Calixte, das ideale Vorbild des echten Lyoners, wie Jeand Dufourt ihn kurz vor dem letzten Weltkrieg in seinem gleichnahmigen Roman beschrieben hat, immer noch lebt? Das bleibt zu beweisen.

Doch hat sich die Stadt, ein wenig gegen ihren Willen, in einer anderen Welt wiedergefunden, seitdem für sie, in den 60er Jahren, der

Living on the riches acquired from a past in which ingeniousness and creativity rivalled each other as decisive factors of development probably could not achieve the ambitions which the city owes it to itself to put forward as it heads for the year 2000.

The evolutions - not to mention «revolutions» in a city where this word takes on a strange resonance - are, of course, marked. The citizen of Lyons, in the style of his counterpart who, a century ago, made Lyons' fortune, the style of the great families like the Bonnardels, the Breittmayers, the Guérins or the Morin-Pons - no longer has the same demeanour as his forerunner at the height of the golden age of capitalism. Even though, in the shade of the Venetian shutters which decorate these solid buildings, witnesses to the opulence of yesteryear, the rites, or rather ways of living - not of appearing to live - and of thinking, are quietly perpetuated for the sake of applied conservatism. Is this Calixte - the ideal Lyons «example» of the writer Jean Dufourt - dead? Nay....

However, the city, to some extent in spite of itself, has swung into a different world with the idea, applied in the Sixties, of a «balancing Metropolis», recently strenghtened, taken off-centre, by the European objective for which Lyons becomes an outpost. Its trump cards are real and although they devolve from a fruitful past, there is no longer any question of expressing a

153

L'implantation de l'Ecole Normale Supérieure, importante pour Lyon, aurait séduit Edouard Herriot, maire de 1905 à 1957.

Die, für Lyon sehr wichtige, Ansiedlung der Ecole Normale Supérieure hätte Edouard Herriot, Bürgermeister von 1905-1957, sicherlich begeistert.

The installation of the Ecole Normale Supérieure, important for Lyons, would have delighted Edouard Herriot, Mayor from 1905 to 1957.

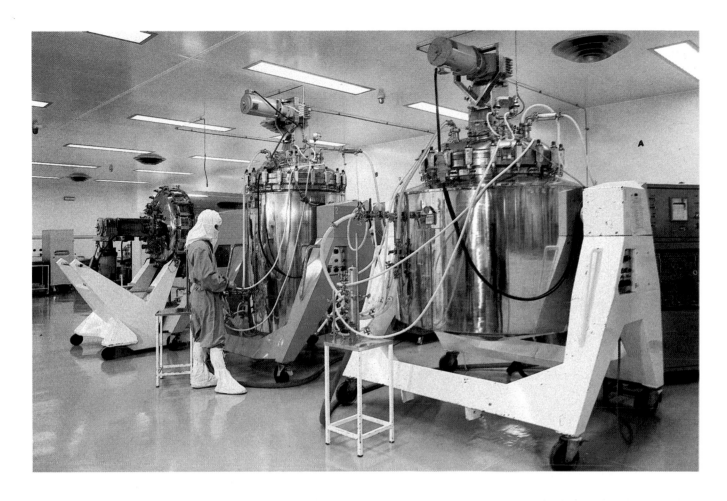

Mérieux, un leader mondial en produits bio-
logiques.
Mérieux, weltweit führend für biologische
Produkte.
Mérieux, a world leader in biological
products.

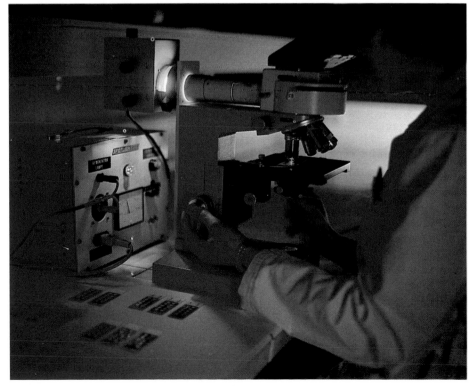

comportements originaux, mais de réalités tangibles: le textile demeure, l'industrie de l'automobile - dont la ville fut l'un des berceaux avec Berliet - subsiste avec, aujourd'hui, R.V.I. (Renault-Véhicules-Industriels), les industries chimiques et pharmaceutiques (aux noms prestigieux, comme Rhône-Poulenc, Mérieux, Boiron et, pour les premières, la représentation typique du «couloir de la chimie» lyonnais doté d'une épine dorsale:la raffinerie de Feyzin), l'ensemble des industries métallurgiques sont également présentes, en dépit des à-coups de crises successives dont les années soixantedix ont porté à elles seules les germes et le développement.

«A ces trois «grands», précise Michel Wullschleger (1), textile, chimie et métallurgie, se juxtapose un quatrième: le bâtiment et les travaux publics, avec des firmes comme Gerland-Route, l'Avenir, Maillard et Duclos, Pitance... Toutes les autres branches sont représentées: agro-alimentaire (fort variée), verrerie (BSN), caoutchouc, papier-carton, ameublement, jouet, bijouterie, imprimeriepresse. Mais l'industrie lyonnaise a ses faiblesses: la perte de plus en plus fréquente du pouvoir de décision, à la suite du transfert des sièges sociaux, et surtout des fusions et regroupements, et l'insuffisante orientation vers les secteurs de pointe apparaissent comme les plus graves.»

Ce «pouvoir de décision» - qui est aussi un «pouvoir de représentation» -, si souvent sur la sellette, resurgirait-il sous la forme de ce vieux et éternel reproche pointant en direction de Paris, l'«autre capitale», l'accusant de ne point se soucier d'une décentralisation qui figure, pourtant, depuis des lustres, à l'ordre du jour? Tendraient à infirmer ce latent ou persistant grief, les installations à Lyon de l'Ecole Nationale Supérieure, d'Interpol, d'établissements comme Framatome, alors que la vocation internationale, dans le domaine de la recherche médicale, est reconnue depuis des

Begriff einer «Ausgleichs-Metropole» aktuell wurde, seit kurzem verstärkt, erweitert durch die europäischen Ambitionen, für die Lyon eine Vorreiterrolle spielt. Die Stadt verfügt über nicht zu leugnende Trümpfe; und wenn sie auf einer fruchtbaren Vergangenheit aufbauen kann, dann handelt es sich nicht mehr um den Ausdruck einer Philosophie oder um originelle Verhaltensweisen, sondern um greifbare Realitäten: die Textilindustrie floriert weiterhin, ebenso die Automobilindustrie - eine ihrer Wiegen stand hier bei Berliet, das als LKW-Branche von Renault, unter dem Namen R.V.I. weiterlebt, auch die Pharma- und Chemieindustrie (mit berühmten Namen, wie Rhône-Poulenc, Mérieux, Boiron. Die Chemieindustrie ist vor allem an der sogenannten «ChemieSchiene» angesiedelt, deren Rückgrat die Raffinerie in Feyzin bildet. Die gesamte metallverarbeitende Industrie, fährt, trotz aller schweren Krisen in den siebziger Jahren, die sich schließlich als Entwicklungskeime erwiesen haben, weiter auf Erfolgskurs.

«Zu diesen drei «großen», Textil- Chemie- und Metallindustrie, gesellt sich noch ein vierter», schreibt Michel Wullschleger, «der Bausektor mit dem Hoch- und Tiefbau, mit Firmen wie Gerland-Route, l'Avenir, Maillard & Duclos, Pitance u.a. Auch alle anderen Branchen sind vertreten: die breit gestreute Ernährungswirtschaft, die Glas- (BSN), Gummi-, Papier-, Möbel-, Spielzeug-, und Schmuckwarenindustrie, bedeutende Pressegruppen mit ihren Druckereien. Doch hat die Lyoner Industrie auch Schwächen: der immer häufigere Verlust der Entscheidungsgewalt, durch Verlegung der Firmensitze und durch Firmenzusammenschlüsse, und der Mangel an High-Tech Industrien sind sicherlich die größten.»

Taucht hinter dieser mangelnden Entscheidungsgewalt - die ja auch eine Repräsentationsmacht ist - die immer wieder vorgebracht wird, nicht der uralte, auf Paris gerichtete, Vor-

philosophy or original behaviour; it is now a question of tangible realities : the textile industry remains, the automobile industry, and the town was one of its cradles with Berliet, is still here with nowadays R. V. I. (Renault Industrial Vehicles), the technical and pharmaceutical industries (with prestigious names like Rhone-Poulenc, Mérieux, Boiron and, for the runner, the typical representaton of the Lyons «chemical corridor» with a real backbone : the Feyzin Refinery), all of the metallurgical industries are also here in spite of the successive crises, the germs and development of which were carried to them in the Seventies alone.

«To these three leaders», says Michel Wullschleger (1), «textiles, chemicals and metallurgy, a fourth has to be added : Public works and the building trade, with firms like Gerland-Route, l'Avenir, Maillard & Duclos, Pitance. All other branches of industry are also represented : agricultural foodstuffs (very varied), glassworks (BSN), rubber, paper/cardboard, furnishings, toys, jewellery, press printing-works. But the industry of Lyons has its weaknesses : the ever increasing loss of the power of decision, following the transfer of company head offices, and particularly mergers and regroupings, and insufficient orientation towards peak sectors appear to be the most serious.»

Would this»power of decision» - which is also a «power of representation» - , so often called into account, raise its head again in the form of this old and eternal reproach pointing in the direction of Paris, «the other capital», accusing it of not being concerned about a decentralisation which, in spite of everything, has for very many years appeared on the Agenda? This latent or persistent complaint would have to be invalidated by the fact that in Lyons there is the National Polytechnic, Interpol, establishments like Framatome, while the work in medical research on an international level has been recognized for many years.

Eurexpo, le grandiose parc des expositions de Lyon, s'étend sur la commune de Chassieu.

Eurexpo, das gewaltige Messegelände der Stadt Lyon, befindet sich in Chassieu.

Lyons' magnificent exhibiton parc, Eurexpo, in Chassieu.

Le siège d'Interpol, en s'établissant à Lyon
en 1989, a confirmé la vocation internationale de la ville.

1989 ließ sich Interpol in Lyon nieder, ein
weiterer Beweis für den internationalen Ruf
der Stadt.

When the head office of Interpol was set up
in Lyons in 1989, it confirmed the city's
international vocation.

Lyon demain: sous la direction de l'architecte Renzo PIANO, la Cité internationale regroupera près du Parc de la Tête d'Or, une cité d'affaires et son environnement dans un parc de 15 ha, planté de 400 arbres de grande hauteur.

Das Lyon von morgen: unter der Leitung des Architekten Renzo PIANO, ensteht, in der Nähe des Parc de la Tête d'Or, ein Business Center, auf einem Areal von 15 ha, das mit 400 ausgewachsenen Bäumen bepflanzt wird.

Lyons tomorrow: under the direction of the architect Renzo PIANO, the Cité Internationale, near the Parc de la Tête d'Or, will group a business sector and its environment within 15000 m² of parkland planted with 400 tall trees.

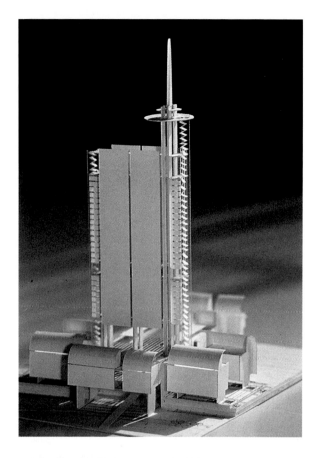

Le nouvel Institut Pasteur à Gerland, reflet vivant du rôle de Lyon dans le domaine de la recherche.

Das neue Institut Pasteur in Gerland ist der lebendige Beweis für die bedeutende Rolls von Lyon im Bereich der Forschung.

The new Pasteur Institute in Gerland is the living reflection of Lyons' role in the research field.

Reflets futuristes pour le Lyon de demain?

Schillert hier schon das Lyon von morgen?

Futuristic reflections for the Lyons of tomorrow?

années, grâce notamment à Institut Mérieux International par ses filiales Pasteur Mérieux Connaugt en médecine humaine et Rhône Mérieux en médecine véterinaire.

Lyon s'ouvre-t-elle, par ailleurs, sur l'extérieur? A-t-elle les capacités de renouer avec son rôle historique dans le nouveau contexte «sans frontières»? Le T.G.V., cordon ombilical ferroviaire qui la relie à Paris, et devrait en faire de même avec d'autres grandes villes, françaises et étrangères, l'aéroport international de Satolas, renforcent, en matière de communication, le poids d'une crédibilité lyonnaise toujours assise sur sa position de carrefour. Même si le «blocage» du canal «Rhin-Rhône» rend terne l'image fluviale de son port Edouard Herriot...

Quant à la ville par elle-même, pour des raisons démographiques autant qu'économiques, elle ne peut réussir sa percée qu'en tablant sur les capacités de toute une agglomération, de toute une région.

Cela étant constaté, les organes locaux de décision existants - souvent superposés -, les structures, les mentalités répondront-ils, à leur tour, à toutes les questions auxquelles il faudra fournir une réponse, à toutes les attentes?

Voilà beaucoup de points d'interrogation alors que l'horizon se lève sur l'Europe, avec son ouverture des marchés tous azimuts, génératrice de bouleversements qui réclameront une adaptation rapide.

Economiquement, financièrement, socialement mais également humainement, car les facteurs décisifs ne reposent pas uniquement sur des chiffres - nous voulons le croire - mais aussi sur la capacité à exprimer des spécificités, intellectuelles, spirituelles, culturelles. Afin d'affirmer une identité, pour ne pas devenir un numéro, un rang, devant ou derrière les autres métropoles.

Même si, pour reprendre un aphorisme ancien que nous citions au

worf auf? Der Vorwurf, «die andere Hauptstadt» kümmere sich einen Deut um die Dezentralisierung, die doch seit langem schon auf der politischen Tagesornung steht. Dieser latenten, beständigen Klage scheint die Ansiedlung der Ecole Nationale Supérieure *(eine hoch dotierte Verwaltungshochschule, Anm. des Ü.)*, von Interpol, von Firmen wie Framatome zu widersprechen, und im Bereich der medizinischen Forschung ist der internationale Ruf schon seit Jahren fest etabliert.

Öffnet sich Lyon auch in anderen Bereichen nach außen? Hat die Stadt die Fähigkeiten, im neuen Umfeld «ohne Grenzen», an ihre historische Rolle anzuknüpfen? Der T.G.V. *(Train à Grande Vitesse = Hochgeschwindigkeitszug, Anm. des Ü.)*, der Lyon, wie eine Nabelschnur mit Paris verbindet und später auch mit anderen Städten in Frankreich und Europa tun soll, und der internationale Flughafen Lyon-Satolas verstärken die Glaubwürdigkeit der Stadt als traditionsreicher Verkehrsknotenpunkt. Auch wenn z.Z. das stilliegende Projekt eines Kanals vom Rhein zur Rhône den städtischen, nach Edouard Herriot benannten, Binnenhafen ein wenig traurig reinblicken läßt.

Was die Stadt selbst angeht, so kann ihr, aus demographischen ebenso sehr wie aus wirtschaftlichen Gründen, nur Erfolg beschieden sein, wenn sie auf die Fähigkeiten des gesamten Städteverbundes, der gesamten Region setzt.

Sind, ausgehend von dieser Feststellung, die schon bestehenden lokalen Entscheidungsorgane - die oft ineinander verschachtelt sind - sind die Strukturen und Mentalitäten ihrerseits bereit und in der Lage, auf alle anstehenden Fragen und Erwartungen eine Antwort zu geben? Das sind eine Menge von Fragezeichen am Vorabend des vereinten Europa, mit der rücksichtslosen Öffnung aller Märkte, die viele und radikale Änderungen mit sich bringen wird, an

Further, is Lyons opening up to the outside? Is the city capable of joining up with its historical role within the new «no borders» context ? The high speed train, the railway umbilical cord which connects it to Paris and should also be connecting it with other large French and foreign cities, and Satolas International Airport, as far as communications are concerned reinforce the weight of Lyons' credibility as it still sits at the crossroads. Even if the «blocking» of the Rhin-Rhône Canal dulls its image as the Edouard Herriot river port...

With regard to the city itself, for demographic as much as for economic reasons, its breakthrough can only succeed if it considers the capabilities of a whole agglomeration, of a whole region.

Having said that, can the existing local decision-making organisations, often superimposed, the structures and mentalities in turn answer all the questions to which a reply must be given, can they meet all the expectations?

There are a lot of question marks as the horizon is lifted on Europe, with the opening up of markets at all points of the compass, creating upsets which will call for quick adaptation.

Economically, financially, socially and also on the human plane, because definitive factors do not rest only on statistics - we must believe it - but also on the capability to express intellectual, spiritual and cultural ideas in order to assert an identity and not become a number or a rank in front of or behind other metropolitan cities.

Even if, to repeat an old aphorism which we quoted at the beginning of the work: «Not everyone can come from Lyons.....» it was followed by this: «but a little is needed from everywhere....»

L'aéroport international de Satolas remplace celui de Bron qui vit s'effectuer les prouesses des pionniers de l'aviation lyonnaise.

Der internationale Flughafen Lyon Satolas trat an die Stelle des alten Flughafens in Bron, Schaufplatz der Großtaten der Lyoner Flugpioniere.

Satolas International Airport has replaced the old Bron airport, where Lyons' aviation pioneers began to fly.

Le T.G.V. entre en gare de la Part-Dieu, conçue pour répondre aux nouvelles exigences des communications.

Der T.G.V. fährt in den Bahnhof Lyon Part-Dieu ein. Dieser wurde errichtet, um den neuen Anforderungen im Massenverkehr gerecht zu werden.

The TGV enters the Part-Dieu station, especially designed to meet the new requirements of todays traffic.

Les bulles du centre d'échange de Perrache,
depuis l'Espace Lyonnais d'Art Contemporain (ELAC).

Die «Blasen» am Eisenbahn und
Busbahnhof Perrache, gesehen vom Lyoner
Zentrum für zeitgenössische Kunst, dem
ELAC.

The modules of the Perrache exchange
centre seen from the Expace Lyonnais d'Art
Contemporain (ELAC).

début de cet ouvrage: «Tout le monde peuvent pas être de Lyon...» Qui était suivi de ceci: «Il en faut bien d'un peu partout.»

(1)«Le Rhône et Lyon, de la Préhistoire à nos jours», Ed. Bordessoules.

die man sich schnell wird anpassen müssen.

Unter wirtschaftlichen, finanziellen, sozialen aber auch menschlichen Gesichtspunkten, denn die entscheidenden Faktoren drücken sich ja nicht immer nur in Zahlen aus, halten wir das für möglich, doch sollten dabei auch unsere intellektuellen, geistigen und kulturellen Eigenheiten zum Ausdruck kommen. Denn wir wollen

unsere Identität bewahren und keine Nummer werden, auf Rang XY, vor oder hinter den anderen Metropolen.

Und das auch wenn, um einen alten Aphorismus, den wir am Anfang dieses Buches schon - teilweise - zitiert haben: «Nicht jeder aus Lyon sein kann». Denn der Sinnspruch geht noch weiter: «Die anderen wollen ja auch leben».

L'aube pointera de nouveau: avec quel destin pour Lyon?

Ein neuer Morgen zieht herauf: was wird er bringen für Lyon?

A new dawn breaks, but what will Lyons' future be?

BIBLIOGRAPHIE
BIBLIOGRAPHIE
BIBLIOGRAPHY

Karine Berriot: «Louise Labé, la belle rebelle et le françois nouveau» - Ed. Seuil

Jacques Bonnet: «Lyon et son agglomération» -Ed. La documentation française - 1987

Jean Burdy: «Promenades Gallo-Romaines» - Ed. SME-Résonnance

Jean Butin: «Henri Béraud: sa longue marche de la gerbe d'or au pain noir» - Ed.Horvath-Roanne - 1979

Sébastien Charlety: «Histoire de Lyon depuis les origines jusqu'à nos jours» -Ed. augmentée et mise à jour par Christian Vooj - Ed. J.C.B. Lyon

Gérard Chauvy: «Lyon 40-44» - Lyon, les années bleues» - Ed. Plon

Joseph Folliet: «Notre ami Marius Gonin» - Chronique sociale

Bernard Frangin: «Une fin de loup» - ED. Stock-Honoré et «Lyon à table» - Ed. Albin Michel

Tony Garnier: «Les grands travaux de Lyon»

Josette Gontier: «Une tradition, la soierie de Lyon» - Ed. Christine Bonneton

Edouard Herriot: «Lyon n'est plus» -4 vol. - Ed. Hachette
Henri Hours et Olivier Zeller: «Lyon, l'argent, le commerce et la soie» - Fondation *Espace Bellecour* (Fondateur Société Lyonnaise de Banque)

Louis Jacquemin: « Histoire des Eglises de Lyon» - Ed. Elie Bélier et «Lyon, palais et édifices publics» - Ed. de la Taillanderie

Louis Jacquemin: «Guide de Lyon» et «Traboules et Miraboules» - Ed. de la Taillanderie

Arthur Kleinclausz: «Histoire de Lyon» 3 vol. (1948-1952)- Ed. Masson

Albert Ladret: «Les Francs-Maçons sous l'échafaud» - Ed. Elie Bélier

André Latreille: (sous la direction de) «Histoire de Lyon et des Lyonnais» - Ed. Privat

Mgr Joseph Lavarenne: «Nous autres les gones» ct «Lyon, son visage et son âme» - Ed. de la Chronique sociale, Lyon (réédités par Jean Honoré)

Pierre Merindol: «Lyon, les passerelles du temps» - Ed. de la Taillanderie, 1988

Nizier du Puitspelu (Clair Tisseur): «le Littré de la Grand'Côte» et «Vieilleries lyonnaises» - Ed. Jean Honoré

Bernard Plessy et Louis Challet: «La vie quotidienne des canuts, passementiers et moulinières au XIXe siècle» - Ed. Hachette

Rhône et Lyon, (Le), «de la Préhistoire à nos jours» Ed. Bordessoules

Fernand Rude: «C'est nous les canuts» et «Actes et mémoires du peuple» - Maspero et «Le monde ouvrier à Lyon - 1827-1832» Ed. Domat, Montchrestien - 1944

Madeleine Vincent: «La peinture lyonnaise du XVIe au XXe siècle» - Ed. Albert Guyot

Achevé d'imprimer le 10 août 1990
dépot légal 3° trimestre 1990

IMPRIME EN FRANCE

Impression: CLERC, St-Amand-Montrond, 18200
Photogravure: FIP, St-Etienne, 42000 et BCG, St-Etienne, 42000
Flashage: CODE 26.10, Viriat, 01440
Scannage texte: EDISCAN FRANCE, Montagnat, 01250
Reliure: SIRC, Marigny-le-Châtel, 10350